Einaudi Tascabili. Letteratura
304

Dello stesso autore negli Einaudi Tascabili

Il sergente nella neve. Ritorno sul Don
Storia di Tönle. L'anno della vittoria

Mario Rigoni Stern

Amore di confine

Einaudi

Prima edizione «Supercoralli» 1986

ISBN 88-06-13837-5

Amore di confine

Parte prima

Le mie quattro case

Era un paese di montagna, dico *era* perché nel 1916 la guerra lo ha prima incendiato e poi distrutto e raso al suolo; e anche se tra il 1919 e il 1922 è stato ricostruito, ora non è piú quello. La mia casa, la casa dove *non* sono nato, e che gli antenati avevano costruito cinque secoli fa, era al centro del paese e faceva angolo tra una strada che collegava le contrade a nord con la piazza. Quel luogo urbano era conosciuto da tutti come *Kantàun vun Stern*, l'Angolo degli Stern. Sulla piazza c'era la chiesa tutta in pietra viva in stile gotico-alpino e anche questa venne distrutta per farne una piú grande agli inizi del secolo scorso; davanti alla chiesa c'era il cimitero e poi un fosso dove correva il *Pâch*; al di qua del fosso continuava la piazza dove si tenevano il mercato e le due grandi fiere di primavera e d'autunno per l'inizio e la fine dell'alpeggio. Dietro il *Kantàun vun Stern* un altro torrentello, il *Pâchelle*, si perdeva nell'*Hûmmel-loch*, Buco del cielo.

Sulla piazza del mercato c'era una bellissima fontana di disegno settecentesco: tre gradini su base ottagonale sostenevano una grande vasca monolitica dove zampillava un'acqua purissima e freschissima; otto colonne tuscaniche sostenevano un tetto in pietra a forma di pagoda; due panche in marmo lavorato nel semiarco del muro attorno alla fontana, a protezione verso il *Pâch* e il *Grabo*, raccoglievano a sera i ragazzi e le ragazze innamorate; durante il giorno le donne venivano ad attingere l'acqua e gli uomini ad abbeverare i cavalli: qui nascevano gli amori.

Tutto questo ricordo nel mio non vissuto prima, per i

racconti che mi facevano la zia di mio nonno e mia madre. Anche mio padre mi raccontava di questo antico borgo e della casa degli avi; ma il suo ricordo era accidentale perché il suo lavoro e la sua indole lo portavano verso altri interessi, e un po' si vergognava di suo nonno e di altri familiari che erano stati funzionari dell'Imperiale e Regio Governo Absburgico.

La casa non era grande perché tra le prime in muratura costruite dopo quelle in tronchi, bruciate nel 1447 dai soldati di Sigismondo d'Austria. Le stanze erano basse, con il soffitto in legno, tranne al piano terreno che era in pietre e a volta. Sopra i tre piani il tetto era molto ripido, coperto di scandole e senza camini. Al piano terra c'era la *stuba* che guardava a mezzogiorno, verso la piazza; era tutta foderata di tavole, con panche, un cassone con i documenti di famiglia; un camino e una Madonna di scuola marchigiana dipinta su tela; i lumi ad olio erano due. L'altra stanza affiancata a questa era detta *dunkel*, scura, perché aveva solo una finestretta alta; qui venivano raccolti i manufatti e i prodotti che i miei commerciavano tra montagna e pianura e tra pianura e montagna. La vecchia amia Marietta mi raccontava di cataste di pezze di lino e di mezzalana che venivano tessute dalle donne del contado; e di mulinelli, aspi, arcolai, secchi di legno, fasce per il formaggio lavorati dagli artigiani: prodotti che i miei raccoglievano e commerciavano con Padova; e di orci di vino e di olio, sacchi di sale che portavano su dalla pianura a dorso di mulo per mulattiere impervie.

In corrispondenza della *stuba*, sul retro della casa, c'era la cucina; tutta nera, con il pavimento di *Ston-platten*, tavole di pietra rosso ammonitica; i secchi di rame appesi al soffitto a volta, i bronzi e le olle sugli scaffali, una grande tavola pesante in abete, il focolare, sgabelli e panche, sedie impagliate per i vecchi e le donne, e, appese alla cappa del camino, le otto lucernette per le otto camere. Dalla cucina una porta dava sul cortile selciato.

L'altra stanza a piano terra era adibita a magazzinodeposito per gli oggetti di uso comune per la famiglia e per il lavoro. Tra la *stuba* e la *dunkel* una scala in legno saliva ai piani superiori dove quattro e poi altre quattro camere davano riposo e amore. Ma, ripeto, queste camere erano piuttosto basse e anche un ragazzo, alzando un braccio, poteva sfiorare le travi del soffitto.

Le mura spesse, le finestre piccole, il legno usato senza parsimonia nei rivestimenti interni, il tetto ripido di scandole, riparavano bene la casa dai rigori invernali, che da noi sono sempre intensi e lunghi. Il riscaldamento era centrale: ossia i due camini che passavano nel centro della casa, e che funzionavano ininterrottamente, facevano anche da parete irradiante in ogni camera. Sopra, nell'ampia soffitta, le faville venivano spente all'uscita della camera fumaria da una *pênna*, cesta di vimini intonacata di creta: il fumo si spandeva nel vuoto e quello in soprappiú per degli sfiati in pietra fuoriusciva sotto lo sporto. In questa maniera sopra le stanze c'era sempre un cuscino d'aria calda, le strutture del tetto venivano conservate dal fumo e la neve lentamente veniva sciolta.

Dietro la casa, oltre il cortile, c'erano le stalle per i cavalli e i muli, il deposito dei finimenti e dei basti, il fienile e un deposito per la legna, le patate, le granaglie e le farine.

Di questa mia casa dove non sono nato sono rimaste ora solamente queste parole e la Madonna dipinta su tela che mio nonno, in quel maggio del 1916, riuscí a salvare tra gli incendi e le esplosioni.

Ricostruirono anche la casa piú grande e *moderna* che nel 1910 il nonno volle a meno di cento metri dalla vecchia; ed è qui che sono nato. Una casa di mezzo tra l'antico e il nuovo. C'erano sí i secchi di rame ma anche l'acquaio con il rubinetto, sí i bronzi e le olle per il focolare ma anche le pentole per la cucina economica raccolte in una credenza in noce; e la luce elettrica, i cessi interni. La *stuba*, ora *stua*, aveva un forno in cotto, un canapè, una pendola, una tavola grande in noce massiccio, sedie con il fondo di paglia colorata e sedie *viennesi*, una credenza a vetri per i servizi da tavola, una oleografia che rappresentava Gesú seguito dagli apostoli che attraversavano un campo di frumento, fotografie di bisnonni, di parenti morti in guerra e di altri parenti emigrati negli Stati Uniti e in Australia.

D'inverno, ogni domenica sera, era qui che si riunivano le donne e i ragazzi del parentado per giocare a tombola, e la prozia faceva per tutti il dolce vino brulé con la cannella. Il mio angolo serale, però, era il focolare della cucina: era qui che mi asciugavo i vestiti e le scarpe dopo aver passato il pomeriggio a giocare nella neve. Mi divertivo a battere sui tizzoni per vedere le faville salire a gruppi fitti fitti su per il camino, o a cuocere le patate sotto la cenere, o ad ascoltare le storie che mi raccontavano i famigli.

Ma quando divenni piú grande scopersi la soffitta; che era ampia come tutta la casa, alta, con grandi capriate di travi d'abete messe a incastri con grande maestria e che creavano nello spazio vuoti e pieni che mi affascinavano: dovevano essere cosí per sostenere il grande tetto che caricava tanta neve. Questo meraviglioso sottotetto, tra San Marco e Sant'Anna si riempiva di voli di rondoni e l'aria vibrava tutta; per loro lasciavamo aperta l'unica finestra che guardava a mezzogiorno. Su una trave parallela al muro piú lungo erano posati i finimenti dei cavalli (in quel tempo la famiglia aveva smesso alcune attività e i cavalli non c'erano piú), e io usavo le selle e le cinghie per i miei giochi. In un angolo c'erano le slitte, gli sci, un girarrosto fuori uso, un fucile Mauser senza percussore, un teatrino, un pezzo di aliante. Quale luogo piú fantasioso poteva sognare un ragazzo?

Ma anche la cantina era grande quanto il perimetro della casa, ci si poteva scendere per una rampa con un carro e il cavallo, ed era freschissima d'estate e tiepida d'inverno; le botti grandi e piccole erano allineate tutt'intorno sui supporti, e c'erano la macchina per imbottigliare, una cesta di cannelle in legno e una damigiana di dolcissimo sciroppo di lampone per noi ragazzi. Attorno a questa soffitta e a questa cantina, nostro regno erano anche il cortile con le cataste di legna, il portico con i carri, il fienile, il soppalco per la paglia, le stalle dove d'inverno facevo anche teatro con i burattini per i ragazzi e le ragazze della contrada. Venne la crisi degli anni Trenta, le morti, i licenziamenti dei famigli, e la grande casa incominciò a svuotarsi, a diventare silenziosa. E mi trovai soldato in guerra.

La mia terza casa fu un rifugio dell'inconscio e fisicamente non l'ho mai abitata. Dopo anni di guerra mi ero ritrovato in un grande Lager, in un angolo molto triste della Prussia orientale, ora diventato territorio dell'Urss. Baracche, reticolati, neve grigia, disciplina spietata, fame da morire e tanti *Gefangen* stipati in una promiscuità anonima. Numeri non nomi. Su un foglio di carta chissà come trovato, con meticolosità e pazienza disegnai la casa che mi sarei costruita al ritorno. Il luogo che avevo scelto era lontano da altre abitazioni, in un bosco che conoscevo molto bene e all'incrocio di due carrarecce, su un piccolo rialzo. Ma questa casa era come una tana sotterranea, con un posto per dormire, un posto per il fuoco, un posto per una ventina di libri; avrei vissuto di caccia e di bosco, e di un piccolo orto dentro una radura. In questa casa seminterrata, fatta con tronchi e pietre, terra battuta e muschio e cortecce, era prevista ogni cosa necessaria alla mia vita, e dopo quanto avevo visto e provato mi pareva l'unica soluzione possibile della mia esistenza. Non fu cosí, naturalmente, ma allora e in quel luogo, il progetto di questa casa teneva occupati i miei pensieri e sopiva la mia fame.

Oggi, dopo anni di lavoro, una casa me la sono disegnata e costruita; ed è semplice come un'arnia per api: comoda e tiepida; silenziosa ai rumori molesti che sono lontani e vicina ai rumori della natura; con finestre che guardano lontano, le cataste di legna sulle mura al sole e, oggi, con la neve sul tetto, sulle betulle e sugli abeti del brolo, sulle arnie, sul canile. E dentro nel tepore mia moglie, i miei libri, i miei quadri, il mio vino, i miei ricordi...

Un raid tra le nevi

Quando si era ragazzi, nei nostri paesi di montagna, in alcuni di noi c'era un sogno, un mito creato da amor patrio e da spirito d'avventura; a farci arrivare a ciò, nella nostra adolescenza, era l'ammaestramento di allora che nella narrazione favolosa della Grande Guerra da parte di insegnanti, familiari e parroci ci esaltava quasi ogni giorno, come anche la lettura dei «sussidiari» di quinta elementare e dei canti dell'*Eneide* e dell'*Odissea* fatta all'Avviamento al Lavoro. Ma anche le gare con gli sci, le escursioni per le montagne di casa dove la guerra aveva segnato ogni metro, le prime «adunate» degli alpini, contribuirono a creare fantasie e sogni.

Non ci affascinavano, invece, i *Campi Dux* che venivano allestiti con sfarzo di mezzi sui prati attorno al paese: ci pareva che tutte quelle cerimonie con i discorsi di Renato Ricci e di padre Semeria, quegli squilli di trombe, tutte quelle bandiere sui pennoni, ci togliessero fantasia e indipendenza: non li invidiavamo quei nostri coetanei che venivano da tutte le città d'Italia, anche se la tavola di casa era piú povera del loro rancio e piú poveri i nostri mezzi.

In quel tempo, nella seconda metà degli anni Trenta, era difficile vivere in montagna, ben piú di ora, e anche se la farina da polenta costava novanta centesimi al chilo erano tante le famiglie che la prendevano a credito. La chiusura dell'emigrazione non dava piú sfogo, chi aveva l'età andava a lavorare in Africa Orientale, o si arruolava nella Milizia Forestale o nella Confinaria, qualcuno anche nella Legione

Straniera perché non tutti trovavano lavoro come carpentieri o minatori nelle imprese che costruivano fortificazioni sui confini. Per un paio d'anni da noi ci fu lavoro perché venne costruito il brutto ma ben grande monumento ossario per raccogliere le spoglie dei soldati; e ricordo un giorno che vidi licenziare un bravo manovale perché non aveva la camicia fradicia di sudore: «Perché non sei sudato?» gli chiese l'assistente. «Bevo poco, è nel mio carattere». «Tu non lavori abbastanza!» «Ma io non sudo neanche in Africa». «Sei licenziato, prendi i tuoi arnesi e vai a casa!»

Nell'estate del '38 lavorai per trenta lire al mese in una distilleria. Il mio compagno di lavoro era appena congedato dal servizio militare; l'aveva fatto alla Scuola Militare d'Alpinismo di Aosta e mentre lui imbottigliava liquori e io incollavo etichette, o preparava gli ingredienti per gli infusi e io macinavo a mano la scorza di china, mi raccontava delle sue scalate sul Monte Rosa, dell'ascensione al Cervino, delle escursioni con gli sci in alta montagna e di certi ufficiali, di guide alpine, di sergenti, uomini straordinari e forti.

Quell'autunno, sulla bancarella dei libri alla fiera di San Matteo, invece di un libro d'avventure comperai il *Manuale dell'alpinista*, e in quello stesso pomeriggio con una corda mi esercitai a fare e disfare nodi. Poi con un amico che tre anni dopo morí cadendo dalle rocce, in una vecchia cava di pietre incominciammo goffamente ad arrampicare.

Alla sera, senza una lira in tasca e, in verità, con un po' di fame nello stomaco, ci si ritrovava in piazza e dopo, tutti insieme, si andava al ricreatorio dove era possibile giocare a scopa o a tresette senza spendere un soldo. Parlavamo anche di lavoro, di sport, di ragazze, di sogni, di letture; ma davanti a noi non vedevamo sbocchi al nostro avvenire e una certa malinconia ci gravava l'animo. Solo tre o quattro di tutto il gruppo avevano potuto continuare gli studi laggiú in pianura, per noi, che eravamo rimasti, c'era solo da raccogliere legna nel bosco per riscaldare le nostre case, coltivare un campetto di patate, mettere trappole per gli uccelli, leggere i bandi dei concorsi e aspettare l'età per arruolarci.

E cosí venne il mio turno. Non avevo ancora diciassette anni quando lessi quel bando nell'atrio del municipio, e siccome all'atto della domanda sembrava bisognasse averli compiuti osai scrivere al *Ministero della Guerra* per avere spiegazioni. Mi risposero solleciti che siccome all'inizio del corso i diciassette anni risultavano compiuti anche se per pochi giorni, potevo presentare i documenti richiesti.

Questo bando era per arruolare volontari allievi specializzati nel Regio Esercito, e tra le tante specializzazioni richieste per la prima volta risultava quella di *sciatori-rocciatori*. Fu, credo, la prima ed unica esperienza che venne fatta presso la Scuola Militare Centrale d'Alpinismo di Aosta.

Alla visita medica guardarono con compassione alla mia giovane età, ma venni fatto abile, e una mattina buia di fine novembre mia madre e un gruppetto di amici mi accompagnarono sul trenino a cremagliera verso la mia avventura.

Fu il mio primo viaggio attraverso tutta la Pianura Padana, con i fiumi, il lago di Garda, le città; fino ad Aosta tra altre montagne. Tutto questo avevo riscoperto dal vivo dopo aver letto le descrizioni sulle guide del Touring; e guardavo incantato dalle finestre del treno recitando a me stesso in silenzio versi di Dante, di Manzoni, di Carducci.

Era il 30 novembre 1938, quella sera ad Aosta pioveva e nevicava insieme; dal treno, con gli altri viaggiatori, scesero una decina di ragazzi come me, un caporale e due alpini erano ad aspettarci. Ci guardarono con grande compassione, io li feci sorridere perché avevo ai piedi scarponi chiodati con la punta quadra, un giacchettino corto e pantaloni alla zuava di fustagno a coste. Ci portarono in una vecchia e buia osteria seminterrata e fumosa dove con due lire si potevano avere un piatto di pasta asciutta, una insalata, un pane e un quarto di vino. Naturalmente mangiarono anche loro e a noi toccò pagare tra gli sguardi sornioni degli altri alpini che erano lí in libera uscita. Alle nove, ora della ritirata, entrammo nella caserma Mottino dove era distaccata la compagnia *alpieri*: ci accolsero un urlo e una fila di insulti e la mattina dopo il primo servizio che mi fecero eseguire fu di lavare tutte le sputacchiere della lunga camerata.

Aspiranti allievi specializzati sciatori-rocciatori erano arrivati il giorno prima, altri arrivarono il giorno dopo e in tutti eravamo una quarantina, trenta in meno dei posti a concorso; ma il guaio era, e credo se ne siano subito resi conto i Comandi, che ben pochi di noi eravamo preparati al compito. Di montanari, a partire dalle Julie alle Marittime, eravamo solo in nove, gli altri erano cittadini che non erano riusciti negli studi o poveri ragazzi che pensavano di risolvere in questo modo la loro sussistenza; alcuni venivano anche dal Sud e un pugliese non aveva mai visto montagne e neve; di tutto il gruppo io ero il piú giovane, Arno, una guida alpina tirolese, il piú anziano.

Ben presto, durante il corso sciatori a Forkulti, incominciò una dura selezione e in pochi riuscimmo a superare il raid sciistico tra gennaio e febbraio nel Gruppo del Gran Paradiso. Dopo sei mesi restammo in quattro o cinque; ma in quei mesi e fino al 1940, avemmo occasione di conoscere i migliori scalatori del tempo, uomini straordinari non solo sulle montagne. Venne la guerra, capimmo che la nostra non era la migliore delle patrie.

Ricordo canavesano

Il luogo dove si è trascorso un tempo sereno rimane nella memoria e nel cuore per tutta la vita; ma piú diventa caro il ricordo se a quel tempo felice successe altro tempo quanto mai duro e sofferto: accadde questo a noi alpini del 6° reggimento che eravamo nel Canavese tra l'autunno del 1939 e la primavera del 1940.

I reparti erano acquartierati nei paesi tra pianura e montagna e l'Orco da una parte e il Chiusella dall'altra chiudevano il presidio: verso l'alto non c'erano limiti alle nostre uscite mentre a sud era lo stradone Cuorgnè-Ivrea che faceva da confine (anche se tra noi molti lo ignoravano e andavano a ballare verso Bairo, Agliè, San Martino). Questi reparti io li raggiunsi in marzo, e dopo stagioni e inverni passati in alta quota i colli canavesani mi sembravano una solatia riviera.

La vita e la disciplina della caserma erano cose lontane e dimenticate, come per me le bufere del Monte Bianco; la nostra maniera di vivere aveva un aspetto piú paesano che militare. A parte le manovre tattiche che si facevano una volta alla settimana (ma anche queste, infine, ci permettevano tanta libertà d'iniziativa), persino la marcia del venerdí e le esercitazioni in roccia che facevamo in una cava abbandonata verso Vistrorio, avevano assunto un aspetto familiare perché lungo le strade, nei viottoli, lungo le mulattiere, nei cortili delle grange o nei sagrati dei paesi incontravamo la gente che ci salutava sempre cordialmente e che persino a volte ci chiamava per nome. Per non dire poi delle ragazze che per questi alpini bresciani e veneti cosí estroversi e allegri avevano simpatia sincera e amorosa.

Nella palestra di roccia qualche volta ci facevano visita i contadini che sospendevano di legare le viti per seguire e commentare le nostre spettacolose discese a corda doppia o le salite alla Whymper. Un giorno la maestrina di un paese vicino che si era innamorata di qualcuno di noi portò tutta la scolaresca per vedere le nostre evoluzioni; alla fine un sergente porse alla ragazza un mazzetto di violette e fu a questo punto che il colonnello Reteuna che ci osservava non visto da dietro gli alberi uscí allo scoperto e a noi impalati sull'attenti per la sorpresa chiese, tra il burbero e il divertito, se eravamo un circo equestre o un asilo infantile.

La marcia del venerdí non era la fatidica e faticosa camminata con lo zaino affardellato di ogni sua cosa; il capitano richiamato che comandava la nostra compagnia non era tanto pignolo da controllare il peso: gli bastava l'apparenza. Si metteva in testa alla piccola colonna e di buon passo prendeva la strada per le montagne. Io, che lo seguivo con la squadra porta ordini - esploratori, lo lasciavo andare e piano piano aumentavamo il distacco; quando si girava e non ci vedeva allora aspettava alla prima osteria o con la prima contadina che lavorava nelle vigne, o a un bivio che poteva dare motivo di dubbio. Quando lo raggiungevamo non ci rimproverava, ma ci spiegava quale era la strada per raggiungere la meta e subito riprendeva con quel suo passo.

Un giorno, forse per farsi perdonare dai soldati la sua troppo celere andatura, o per chissà quale suo motivo personale, quando giungemmo a Frassinetto offrí alla compagnia due damigiane di vino, da aggiungersi alla razione al seguito sulla groppa dei muli. Nel ritorno volle che cantassimo allegri sotto la pioggia che faceva gemmare le viti. Era proprio una primavera matta e allegra e cosí, quando sullo stradone dopo Cuorgnè incontrammo l'accampamento di non so quale reparto di una Scuola Militare che al nostro passaggio schierò la guardia per rendere gli onori, dopo la sfilata il gaio capitano ordinò l'*alt!* e lo *zaino a terra*; ci fece spogliare a torso nudo e, sempre sotto la pioggia battente, ricaricato lo zaino in spalla, risfilare davanti agli allievi allibiti, per avere ancora gli onori.

Ogni giorno c'era un episodio buffo o allegro, o nelle osterie, o negli accantonamenti, o sui palchetti dei balli festivi; e tutto questo era forse dovuto alla nostra inconscia giovinezza che voleva in quella primavera ultima di pace vivere e amare prima dell'orrendo massacro della guerra.

Ricordo una domenica che ero caporale di giornata e di un amico alpino che era stato assegnato alla corvé. Il furiere non poteva sapere che lui aveva un appuntamento con una ragazza al ballo di Baldissero e venne da me per dirmi che non poteva fermarsi per lavare le marmitte, pulire il cortile dell'accantonamento e spaccare la legna per le cucine. Mi si era presentato con la divisa in perfetto ordine, pulitissime le scarpe, ben fatto il nodo della cravatta, spavaldo il cappello, lisce le guance per il contropelo e profumati i biondi mustacchi. Come potevo proibirgli per esigenze di servizio di non andare a un ballo paesano in una sera d'aprile? Ritornò all'alba poco prima della sveglia e non successe niente nel nostro esercito; ma per lui, forse, quella fu la notte piú felice perché il 26 gennaio del 1943 lasciò la sua vita sul terrapieno della ferrovia di Nicholaevka.

Dopo quella primavera canavesana vennero le notti di veglia sui monti desolati e ventosi dell'Albania e il parlare sussurrato accanto al fuoco rievocava i paesi, le ragazze, le osterie e il ricordo allontanava la miseria di quella realtà. E in Russia quando un compagno riceveva una lettera da Castellamonte, o da Rueglio, o da Valperga era come se un soffio d'amore ci portasse in quella terra e volevamo sapere *le novità*, come se anche quelli fossero i *nostri* paesi.

E forse molti nostri compagni sono morti in quelle bufere con l'immagine di una ragazza, di un festoso sabato, di una stradina tra le vigne, di una bottiglia di vino. E anche nelle baracche dei Lager tedeschi i sopravvissuti a quegli inverni rievocavano le calde stalle ospitali di Valprato, di Vistrorio, di Castelnuovo Nigra, e i «tetti» delle cascine sparse tra le colline dove i contadini in cambio di qualche nostro servizio campagnolo offrivano polenta e tomini al nostro giovanile appetito.

Oggi, dopo quarantadue anni, ho voluto ritornare tra queste colline. Parlando con la gente ho potuto capire quanto vivo ancora è il nostro ricordo; come nella Carnia è cara la memoria degli alpini piemontesi che dopo le campagne dell'infausta guerra lí avevano trovato amicizia e amore.

Ma quanta malinconia e che strette al cuore vedere le cascine che diroccano e i tetti che sfondano; i terreni incolti e silenziose le strade. In un paese con una scuola nuova e grande c'era solo una classe plurima; donne anziane legavano le viti e due fratelli silenziosi potavano i meli. In una contrada già piena di vita solo una vecchia e due cani e una vacca aspettavano i tre uomini che lavoravano a Forno; qui due case erano crollate e i ghiri nidificavano nelle camere e nel forno del pane.

A Castellamonte ho voluto rivedere il vecchio pastificio abbandonato dove eravamo accantonati prima di partire per la guerra. Il proprietario mi aveva detto: «Sui muri ci sono ancora i nomi e le scritte degli alpini del *Sesto*».

Passato l'Albergo Tre Re e il ponticello sul rivo mi sono ritrovato nel cortile del rancio e dell'adunata. Sono entrato nell'edificio ma i muri erano stati appena imbiancati da un pittore che lí aveva lo studio e piú nessun nome, nessuna frase si poteva leggere; ma in quel momento, ho ritrovato i visi e i nomi degli amici morti a vent'anni per un'Italia matrigna.

In una valle felice

Si era saliti lassú in due plotoni scelti per il corso rocciatori al comando di un tenente, con un ufficiale medico, due sergenti e quattro istruttori. Il resto del reggimento era sparso negli accantonamenti per i paesi del Canavese; e anche se la bufera della guerra in quella primavera sconvolgeva le contrade d'Europa la nostra giovane età, l'affetto della gente piemontese con cui si viveva in buona armonia, l'indulgenza degli anziani ufficiali richiamati ci rendevano allegri nell'anima e ci allontanavano il ricordo di casa, della guerra che incombeva e delle valli piovose e tristi del Sudtirolo dove il reggimento era stato in guarnigione.

Ma in Val Soana era ancora piú bello perché appena arrivati fraternizzammo con tutti gli abitanti: con la maestrina, il parroco, le due guardie del Parco, i ragazzi, le donne; e dalla bottegaia-ostessa si poteva comperare tutto quello che ci occorreva, dalle sardelle in sale al filo per cucire, dalle lamette per la barba alle cartoline.

La palestra di roccia era appena a monte del paese, sul versante destro della valle; la sveglia non veniva fatta con la tromba ma con il suono delle campane, e un plotone andava in roccia e l'altro in escursione. Nel pomeriggio le parti si invertivano. Dopo il secondo rancio delle diciassette e trenta eravamo tutti sulla piazzetta del paese a giocare; a saltare la corda (faceva molto bene perché rinforzava le dita dei piedi a tenere gli appigli), a rincorrerci, a tirare la fune, a calciare una palla di stracci. Con noi, fino all'ora di cena, giocavano i ragazzi e le ragazze di Campiglia. Dopo il tramonto il parroco chiamava due alpini a suonare le campane per il *fioretto di maggio*, e quasi tutti, allora, soldati e paesani, si andava in chiesa a cantare e pregare.

Ma si andava solleciti al *fioretto* anche perché la popolazione del villaggio era quasi tutta femminile e gli uomini, compreso parroco e guardie del Parco si potevano contare su una mano: tutti gli altri o erano soldati di leva o richiamati al 4° Alpini, ma i piú erano a Parigi a fare i vetrai e gli spazzacamini. Ogni sera, poi, prima di andare a dormire si cantava in coro e a gara tra veneti e lombardi e le ragazze si dividevano tra l'uno e l'altro gruppo mentre le vecchie stavano sugli usci ad ascoltare ma anche a controllare.

Tutto era straordinario. Il pane, anche; non era pagnotta che sapeva di caserma, e quel sapore ci venne poi da sognarlo in Russia e nei Lager: un pane di segale cotto nel forno a legna di Valprato, basso e rotondo, croccante e con la crosta bruna. Quando arrivava portato su dal nostro mulo ne sentivamo il profumo anche se eravamo in palestra di roccia ad arrampicare. Quel pane era felice come il paese, come noi, come tutta la Val Soana; come il ballo della domenica pomeriggio dopo che si aveva fatto il bagno nel torrente gelato e lavata la nostra biancheria sulle pietre levigate.

Ero io che scendevo a Valprato con l'incarico di accompagnare su a Campiglia un vecchio suonatore di fisarmonica di cui non ricordo bene il nome. Forse era il *Giaculin d'la fisa*? Camminava lento perché era molto vecchio e io gli portavo con riguardo lo strumento vetusto quanto lui e che quando si sganciava emetteva uno strano lamento. Dove la strada si faceva erta il vecchio si appoggiava sulla mia spalla e al nostro arrivo tutti erano ad aspettarci sulla piazza, lungo la ringhiera del monumento ai caduti. La stanza dell'osteria era già sgombra da sedie e tavoli e si entrava subito a ballare. Forse mancava solamente il parroco.

Manfrine, valzer, marce, mazurche, polche, erano questi i balli. Ma personalmente non ero brillante, anzi timido e impacciato da quando con i chiodi degli scarponi quasi levai un'unghia da un piede della maestrina. Ero invece addetto al suonatore; dovevo raccogliere le cinque lire pattuite per il compenso, farlo mangiare e farlo bere e tenerlo sveglio. Sí, perché ogni tanto sonnecchiava sui tasti e rallentava il ritmo; con la mano, allora, gli davo una scossa al braccio e riprendeva velocità. E con lui i ballerini.

Una domenica mi accorsi che quando gli versavo il vino e poi distoglievo lo sguardo per la sala il suo bicchiere subito si vuotava; stetti all'erta e sorpresi il vecchio che con mossa lesta rovesciava il bicchiere dentro la giacca, e osservando ancora potei vedere che nel tascone aveva una bottiglia con un piccolo imbuto: in questo modo si faceva la scorta per berselo poi a casa, con comodo.

Passarono troppo in fretta quei giorni spensierati, ma il ricordo dura ancora; e anche il Piano dell'Azaria restò nel ricordo come il luogo piú bello della terra: come un posto sognato e non vero dove l'acqua limpida scorreva leggera tra cuscini di fiori, con i larici che rinverdivano lungo i fianchi della valle, con le nubi vaporose e fantastiche dentro un cielo altissimo, e canti di uccelli e occhi di ragazze. Forse tutto era cosí perché era primavera e noi ancora ragazzi innamorati di fanciulle lontane.

Lassú, al Piano dell'Azaria, si andava ogni tre giorni a far legna per la cucina; con la mia squadra e un mulo. Lí, una volta raccogliemmo anche un camoscio che era stato travolto da una slavina e lo mangiammo con la polenta dopo averlo pulito e lasciato un giorno e una notte sotto l'acqua di una piccola rapida.

Verso la fine del corso andammo in escursione per le cime, a gruppi di cordate. La base era nel rifugio appartenente al piccolo santuario di San Besso e le mete erano la Rosa dei Banchi, la Torre di Lavina, la Punta Nera e le altre vette là intorno. Quando la sera era bella ci divertivamo ad arrampicare in libera sulla Roccia di San Besso, quel grande masso carico di leggende sulla via del passaggio tra il Canavese e la valle di Cogne e fatto oggetto di culto dagli antichi abitanti di queste montagne.

Fu sulla strada di ritorno da queste escursioni che avvenne la disgrazia. Si camminava in fila sul pendio erboso a mezzacosta tra la neve sopra e le rocce sotto, e si era particolarmente allegri perché Campiglia era vicina. Un alpino scivolò, scherzosamente lo chiamavamo «Paja», e si lasciò andare lungo il pendio, cantando. «*Paja! Paja fermati!*» Ma all'orlo delle rocce non riuscí a fermarsi e precipitò.

Lo raccogliemmo che era morto e una grande tristezza vi fu in noi e in tutti i paesani di Campiglia. Non ci sembrava vero, ecco, e dentro la chiesetta silenziosa e piena di fiori stemmo tutti a vegliarlo. Venne anche il colonnello Reteuna che comandava il reggimento; corrucciato e con il viso come fosse scolpito nel legno stette per lunghi minuti in posizione di saluto davanti al corpo immoto del nostro compagno. Poi vennero a prenderlo e lo portarono al suo paese che era sulle montagne tra l'Emilia e la Toscana.

Il corso rocciatori non arrivò alla fine. Ai primi di giugno venne un portaordini in motocicletta e in poche ore e in fretta lasciammo quel paese per andare verso la guerra.

Le donne di Campiglia, i ragazzi, il parroco, la maestrina, le due guardie del Parco ci accompagnarono un bel po' lungo la strada che scende verso Ronco; a Valprato incontrammo per l'ultima volta il vecchio suonatore di fisarmonica e quando lo perdemmo di vista sentimmo che ci suonava una malinconica canzone.

Negli accantonamenti dei paesi canavesani le compagnie avevano già affardellato gli zaini. Incominciammo a piedi a risalire la Valle d'Aosta dove a Aymavilles la notte del 10 giugno sentimmo sparare il cannone. Era nel tempo che le armate di Hitler marciavano su Parigi, che Roosevelt disse «... la mano che brandiva il pugnale ha affondato la lama nella schiena del suo vicino». E che Mussolini spiegava a Badoglio che voleva «qualche migliaio di morti per sedere al tavolo della pace».

Cannoni e fantasmi sul Monte Chaberton

Quando nel 1930 zio Barba arrivò dall'America noi eravamo ragazzi, e si presentò nella grande casa che il nonno suo fratello aveva ricostruito dopo la Guerra mondiale come se venisse da una contrada vicina, e non da oltre la Grande Pozza Oceano. Aprí la porta della cucina e, mentre due uomini posavano nel corridoio un grande baule borchiato, disse semplicemente: «Son qua, sono tornato», e basta. Pronto a riprendere il lavoro il giorno dopo, qui in casa, come se i due anni passati in Germania nelle miniere, gli altri due a costruire palazzi in Francia e gli altri trenta in America in chissà quanti altri lavori, non contassero affatto.

Questo ritorno improvviso dopo tanta lontananza e tanto silenzio (scriveva una lettera ogni dieci anni), era per lui una cosa normalissima, e in questa casa ospitale dove si era già in tanti c'era posto anche per lui, che solamente si sorprese di trovare ancora in vita la novantenne amia Marietta, sorella nubile di suo padre, mio bisnonno.

Zio Barba non aveva problemi economici perché con il suo lavoro era riuscito a mettere da parte centomila lire che in quello stesso anno, allo scarico autunnale della malghe, impiegò nell'acquisto di alquante scelte partite di formaggio che poi personalmente curò nell'apposita stanza adibita a magazzino, al fine di stagionarlo e rivenderlo come *Vezzena stravecchio*, seguendo cosí una vecchia tradizione appresa da suo nonno. Ma noi ragazzi di casa, e anche quelli delle case vicine, eravamo curiosi di sapere da questo zio americano le sue avventure e le sue storie; e cosí nelle sere che nevicava fitto e non usciva per giocare a carte con gli altri ex emigranti che si ritrovavano «Alla Margherita», ci facevamo raccontare di quando era andato in Canadà a caccia dell'orso grizzly e del cervo wapiti, o di quando fu investito dallo scoppio della mina nella cava di pietra, o ancora di quando in una festa con gli emigranti russi ubriacarono un maiale. Qualche volta faceva sedere i piú piccoli a cavalcioni sulla gamba e li faceva dondolare canticchiando le canzoni del West.

Sul finire di ogni estate lo aiutavo a mettere la legna in cataste al sole, ben allineate e a piombo, con gli angoli costruiti a legni incrociati come i muratori mettono le pietre negli angoli di una casa perché, diceva: «La luna quando è piena, sennò, tira avanti la catasta e la fa cadere». Al mio stupore aggiungeva: «Non alza forse anche il mare, la luna? E non cava forse i chiodi dalle scandole delle casare? E quando c'è la luna piena dormi con la bocca chiusa sennò ti leva anche i denti!»

Con il passare degli anni e a mano a mano che noi crescevamo ci raccontava delle elezioni americane, dei democratici e dei repubblicani, di quella volta che lo elessero sindaco del villaggio di Lymerach e ci prendeva in giro quando, vestiti da avanguardisti, andavamo al sabato fascista.

Mentre assieme si faceva qualche lavoro mi raccontava volentieri di quando era stato per tre anni soldato artigliere sul Monte Chaberton, ai confini con la Francia. Era stato forse il periodo piú spensierato della sua vita perché ginnastica mattutina, marcia settimanale, esercitazioni a fuoco e simulate erano state come un gioco anche se qualche volta il suo gagliardo appetito non trovava soddisfazione perché, diceva, l'aria fresca e sottile di quella alta montagna glielo teneva sempre desto.

Questo Monte Chaberton un giorno ce lo indicò sulla carta del Touring che aveva mio padre e ci spiegava che da lassú i cannoni potevano sparare su tre province della Francia e che su una piazzola dell'obice da 210 era scritto: *Quando io parlo Parigi trema*. Ma poi sorrideva aggiungendo: «I re fanno la guerra ma tra di loro non si uccidono, si sposano; e io in Francia sono andato a lavorare». Finiva canticchiando uno stornello che aveva imparato da un artigliere toscano «... Umberto Primo, re del regno | Se vuoi cannoni fatteli di legno... »

Ma questo monte lontano ai confini con la Francia era entrato nella nostra fantasia di ragazzi, e quando in febbraio nell'orto si ammucchiava alta la neve costruivamo il «Forte Chaberton» per fare la guerra a palle di neve con i ragazzi che abitavano dall'altra parte del paese e che a loro volta avevano costruito il «Forte di Macallé».

Dopo dieci anni mi ritrovai anch'io ai piedi dello Chaberton, la campagna contro la Francia era finita tristemente e la vecchia fortezza su quella cima era andata in pezzi sotto i colpi dell'artiglieria francese. Allora, era il 1941, eravamo ritornati dal fronte greco e i battaglioni della Tridentina erano accampati lungo la Val di Susa: da Avigliana su sino a Bousson, e in questi paesi pur cosí diversi dai nostri, e come montagne e come abitazioni e dialetto, trovammo calore di fuochi e amicizia di famiglie e amore di ragazze; e queste cose rimasero nel cuore anche quando nella steppa di Russia ci travolse la tormenta della guerra.

Arrivati lassú incappammo in un maggiore comandante di un battaglione «valle» che ogni tanto aveva delle stramberie, come quella di punire carretta, mulo e conducente perché lungo la strada da Oulx a Cesana si erano fermati a ogni osteria: la carretta venne condannata a restare carica sotto la pioggia, il mulo legato al filare e a solo fieno e il conducente in prigione; tutti, per sette giorni. Fece anche cambiare una sentinella perché era brutta e punire per questo reato il capoposto e il furiere che l'avevano comandata; e una sera, durante la libera uscita, a Cesana, fermò un gruppetto di alpini e chiese a uno perché fosse cosí magro, poi tra lo stupore di tutti gridò: «Voglio sapere chi è il caporale che ti ruba la razione! »

Io, lassú, ritrovavo i nomi che lo zio Barba mi aveva raccontato quand'ero ragazzo e che nella fantasia erano stati paesi di favola: Sauze, Champlas Séguin, Fenils, Mollières e il Monte Chaberton alto su tutti, che un giorno volli salire fino alla vetta dove lui per quasi tre anni aveva servito sotto Re Umberto.

Benché avessi fatto ben altre scalate, questa, che infine era solo una camminata per un'erta salita, mi dette una forte emozione perché era come se mi fosse compagno il vecchio zio, ma non con l'età sua del momento ma con quella che aveva nel 1896: e lui rideva, saltava tra i massi ammiccandomi con gli occhi azzurri e allegri che sempre aveva. Giunti in cima tra i ruderi delle torrette e delle batterie, con i suoi occhi guardai dall'osservatorio tutte le montagne intorno.

Quando ritornai nella tenda, quella sera gli mandai una bella veduta della sua montagna e sulla vetta feci una crocetta per dirgli che eravamo saliti lassú. Dopo qualche giorno ricevetti una cartolina con il paese e le nostre dolci montagne, dietro aveva scritto solamente: «Cerea al Monte Chaberton». Da lui, che parlava solamente il nostro dialetto frammisto a parole tedesche, francesi e inglesi, mi sorprese quel «cerea» che gli era rimasto nel cuore dopo tanta emigrazione.

Il vino della vita

Ogni vicenda che abbiamo vissuto è legata ad altri fatti o vicende che, consciamente o inconsciamente, nel trascorrere del tempo si concatenano e si riallacciano a persone e a luoghi. Per i racconti che ho scritto, molte volte impensatamente ricompaiono, o si fanno vive per la prima volta dopo tanto tempo, persone che il caso discopre; e cosí nella memoria rivivi momenti e sensazioni filtrati dagli anni, come se la fame, la fatica, il dolore, il pericolo si fossero depositati sul fondo della bottiglia della vita e il vissuto decantato resta limpido e malinconico, con tenuissimi colori e profumi.

Nell'estate di molti anni fa eravamo accampati in una valle del Trentino, in un grande bosco di larici, e la mia incombenza di graduato di truppa consisteva nel costruire con la mia squadra le latrine per la compagnia una volta alla settimana e di andare con tre muli nei boschi a raccogliere la legna per le cucine. Erano lavori tutt'altro che guerreschi, anzi pacifici, e dopo la campagna sul fronte Occidentale i giorni trascorrevano tra il reale e l'irreale anche perché ero innamorato e molto giovane, e da quelle montagne vedevo le mie montagne.

Ogni sera libera dal servizio di capoposto o di caporale di giornata scendevo al paese che distava una mezz'ora dall'accampamento. Lí c'erano molti villeggianti che andavano spensierati dai campi di tennis agli alberghi, o che ritornavano dalle passeggiate o dalle escursioni; i nostri ufficiali, con le divise tirate in fino, corteggiavano le signore nei caffè all'aperto dove suonavano le orchestrine e non sapevi se era bene salutarli, o male. Qualche volta entravo nella chiesa che era tutta in pietra viva, di stile gotico-alpino; tutt'intorno, tenuto come un giardino, aveva il vecchio cimitero con lapidi bellissime. Dentro la chiesa un cieco suonava l'organo.

Ma la maggior parte delle ore della mia libertà le passavo nella libreria del centro, che era bella e ben fornita, dove, dopo essermi fatto coraggio la prima volta, ero sempre ben accolto dal libraio.

Il signor Mario mi lasciava girare liberamente tra gli scaffali da dove ogni tanto coglievo un libro con tanto riguardo e timidamente mi azzardavo a sfogliare: poesie, romanzi, racconti e storia mi affascinavano come mi affascinavano certi paesaggi e i boschi. O forse piú. Mi immergevo in quelle pagine e non mi rendevo conto del tempo che passava, e quasi sempre era il signor Mario che diceva: «Ehi, caporale, è ora di chiudere!» Ma era anche cosí buono che provava compassione o rispetto e aspettava che la moglie lo chiamasse da sopra: «La cena è pronta in tavola!»

Quando il maresciallo furiere ci faceva la paga, la deca, che le piú volte diventava quindicina, potevo permettermi di comperare un libro. Ma ora il problema si presentava nella scelta e passavo da uno scaffale all'altro tenendo i soldi in mano. Il libro doveva costare poco, non essere molto voluminoso perché trovasse posto nello zaino e tale da non gravare la schiena troppo oltre i trentadue chili regolamentari che assommavano il corredo, i viveri di riserva, le munizioni, la corda, la lanterna, il telo e la coperta, eccetera. Insomma dopo tante incertezze e calcoli mi trovai con *La Divina Commedia*, *L'Orlando furioso* e *Il bel paese* di Stoppani. Tutti nelle edizioni economiche Barion.

Due di questi libri sono rimasti nello zaino che dovetti abbandonare sulle montagne della Grecia nel novembre successivo; la *Commedia* la tenevo nella borsa della maschera antigas che, buttati maschera e filtro, serviva da borsa personale. Libro e fotografia della ragazza che tenevo tra le pagine sono finiti nelle steppe dell'ansa del Don dove mi trovavo nell'estate del 1942, perché un colpo di mortaio che mi aveva anche leggermente ferito tagliò di netto la cinghia di tela che teneva la borsa a tracolla e nella baraonda del combattimento *Commedia* e fotografia rimasero poi nelle mani dei soldati russi. (Tante volte mi veniva da chiedere: Che ne avranno fatto? Cosa avranno pensato?).

Questa la fine dei miei tre libri di guerra comperati con la paga del soldato in un paese tra le Dolomiti.

Passarono molti anni, piú di trenta, e un giorno con la posta mi vidi recapitare un plico raccomandato che veniva proprio da quel paese del Trentino e che come mittente portava a stampa il nome di quella libreria dove trascorrevo le mie serate povere di soldi ma ricche di curiosità letterarie.

Il plico che mi suscitò un enorme accavallarsi di ricordi e che svolsi con emozione conteneva un libro per me prezioso e tanto ricercato, che sapevo esistere ma che mai ero riuscito a trovare. Era stato stampato dall'Istituto Italiano d'Arti Grafiche di Bergamo nel 1908 e descriveva e riportava fotografie e costumi della gente e delle case della mia terra com'erano prima che la Grande Guerra tutto distruggesse. E proprio per questo il libro era diventato raro. L'accompagnava una breve lettera dove il piú che ottuagenario libraio scriveva che era un mio affezionato lettore e che, prima di cedere l'azienda, nel fare l'inventario aveva trovato nell'angolo piú nascosto il libro che mi univa, pensando l'avessi caro. Era stato un acquisto fatto ancora da suo padre, ai tempi di Francesco Giuseppe.

Non poteva sapere, il signor Mario, che l'autore di quei racconti che leggeva con piacere era quel giovanissimo caporale degli alpini che pazientemente tollerava nella sua bella libreria; con tanta grata memoria glielo scrissi, ringraziandolo di tutto, piú per allora che per il prezioso e raro libro.

Mi rispose ricordando quell'estate e di quando lasciammo quella valle per andare in Grecia in un mattino buio e piovoso; ma i suoi ricordi erano piú vivi e limpidi là dove mi raccontava della Grande Guerra che aveva vissuto sulle mie montagne combattendo dalla parte dell'Austria. Era addetto alle stazioni delle teleferiche che trasportavano in quota i materiali e a valle i feriti; mi scriveva delle bufere di neve, delle artiglierie italiane che sparavano sugli impianti e che uccidevano tanti suoi compagni. Era stato per un inverno sul culmine di quella montagna dove ancora ci sono i resti della sua baracca, gli scavi dei ricoveri, gli zoccoli di cemento con le barre di ferro per i cavi. Lassú per tanti anni andavo nel tardo autunno a cacciare le pernici bianche.

Ma ieri l'altro ci sono risalito per portare un pensiero al mio amico libraio. Il vento soffiava dai canaloni portando fiocchi di nebbia e una coppia di aquile volteggiava in caccia; i boschi, in basso, si perdevano fin dove arrivava lo sguardo, dalla foschia estiva emergeva la cima da dove Robert Musil guardava la mia terra. La baracca dove i soldati austriaci avevano passato un inverno era crollata, le travi del tetto e le tavole stavano diventando humus e tra queste crescevano cuscini di campanule e di sassifraghe; vi affioravano resti di scarpe, coperchi di gavette, cucchiai, chiodi. Tra questo c'era il ricordo del signor Mario, libraio trentino, che quando infuriava la tormenta e la lanterna dondolava leggeva Dante; come io lo leggevo su altre lontane montagne.

Parte seconda

L'incredibile dono

Un pomeriggio il Lagerfeldwebel Braun venne a comandarmi di fare lo zaino e seguirlo. In silenzio raccolsi le poche cose, salutai con affetto Piòtr e Ivan e uscii dall'Aufnahmebarake dopo aver dato uno sguardo tutt'intorno: in certi momenti era stato un angolo tranquillo.

Forse dovevo lasciare questa baracca perché ero diventato amico dei prigionieri russi, o anche perché qualche volta i soldati tedeschi di guardia venivano a riscaldarsi attorno al nostro fuoco quando il freddo diventava insopportabile.

All'uscita dei reticolati che ci separavano dal grande Lager anche la sentinella mi fece un amichevole sorriso senza che Braun se ne accorgesse e quando poi sfilammo lungo le interminabili file di baracche dove erano rinchiusi i russi, i prigionieri che ci videro passare chiamarono gli altri compagni e tutti, o con la voce o con i gesti, mi salutavano stando al di là dei recinti. Dicevano il mio nome e arrivederci in modo chiassoso e allegro come per darmi fiducia, finché Braun urlò piú volte silenzio e affrettò il passo marziale battendo i tacchi di ferro dei suoi stivali sulla striscia di tavole che solo lui poteva percorrere.

Dal cuore del Lager, dove c'erano le baracche dei tedeschi, il comando, gli uffici e gli altoparlanti venne uno dei loro inni.

Camminavo con il cuore stretto perché non sapevo dove mi avrebbe condotto, né cosa si sarebbe fatto di me; tutto potevo immaginare, e da quei russi da cui mi portava via sentivo il distacco da un'amicizia umana e fraterna. Fu a questo punto che uno di loro incominciò sommessamente a cantare una canzone; altri si unirono, poi altri ancora cosí che fecero un grande coro. Era una canzone di saluto per me, che contro di loro avevo combattuto e che adesso, per non essere ancora dalla parte del torto, stavo con loro rinchiuso nel Lager 1/B.

Nulla poté la rabbia del Lagerfeldwebel contro la loro canzone che né i reticolati né le sentinelle potevano trattenere. Era dolcissima e non parlava di soldati o di guerra o di eroi, ma di primavera e di una ragazza innamorata che aspettava sotto una betulla.

Mi portavano via e nello zaino avevo un rotolo di fogli legati con uno spago dove avevo scritto i ricordi perché il tempo non li cancellasse dalla memoria, e in una tasca della giacca assieme a delle lettere avevo un cartoncino con dipinta una montagna, gli abeti con la neve, un cielo azzurro con la stella, una casa di legno e la scritta in oro *Buno Natale!* che Anatolij Simioncev aveva voluto fare per me.

Il maresciallo mi accompagnò fino a una baracca tutta circondata da reticolati nel settore degli italiani, fece aprire il varco e mi spinse dentro.

Era una baracca buia, gremita e maleodorante; il tetto arrivava quasi al suolo, le finestre erano piccole e con i vetri molto sporchi; i tavolati per dormire erano sotto il livello del terreno esterno e non c'erano paglia o trucioli. Cercai un posto per sdraiarmi tra l'indifferenza dei miei nuovi compagni che mi guardavano senza rivolgermi una parola.

Non riconobbi tra di loro un amico, un viso noto, un compagno d'armi, un compaesano a cui poter parlare; in breve capii che tutti quelli che stavano rinchiusi in questa baracca erano incattiviti per qualche causa o motivo; e rissosi, ladri, speculatori. Molte volte si accendevano liti durante la distribuzione del pane perché i piú violenti e forti cercavano di imbrogliare i piú deboli, o nella misura della fetta, o con le parti rosicchiate dai topi o con la mollica umida e malcotta.

Dormivo poco, per mancanza di luce potevo scrivere solo per poco tempo mentre erano lunghissime le ore dell'insonnia e della fame. Per lo stare disteso sul tavolato e per la magrezza, un giorno mi accorsi che sulle anche dove sporgevano le ossa si era formata una chiazza nera e rugosa, una specie di sopraosso o callo e cercai di restare di piú in piedi osservando i giocatori di carte. Ascoltavo le liti, camminavo lungo lo spazio tra tavolato e pareti fermandomi a guardare dalle finestre il piano gelato del terreno dove a intervalli regolari passavano gli stivali della sentinella.

I pidocchi si erano rifatti vivi molto rapidamente; nell'Aufnahmebarake non li avevo, ma qui in pochi giorni mi avevano aggredito procurandomi un insopportabile prurito, tanto che grattandomi il petto e la schiena avevo fatto sanguinare la pelle. Pensavo per quanto tempo ancora avrei potuto resistere; ogni tanto qualcuno chiedeva di andare volontario con l'esercito di Graziani o con i tedeschi sul fronte orientale; dei prigionieri venivano pure prelevati di forza per andare a lavorare chissà dove, magari nelle retrovie del fronte russo o in qualche distaccamento sorvegliato dalle SS.

Un compagno di baracca mi propose di scambiare il mio zaino da alpino con il suo tascapane: mi avrebbe dato mezza razione di pane e due sigarette papiroska. Non accettai, naturalmente; l'unica cosa che avrei cercato e desiderato era un paio di scarpe perché avevo ai piedi degli zoccoli olandesi tutti in legno, che non mi avrebbero permesso di camminare per un lungo tratto.

Un giorno che guardavo dalla finestra il rettangolo di terreno dove passavano e ripassavano gli stivali delle sentinelle e calcolavo quanti passi facessero nell'andare e nel tornare, mi si avvicinò un compagno di baracca che non avevo mai notato prima. Forse anche lui era rimasto sdraiato per tanto tempo; era molto piú anziano di me, alto, magro non solo per fame e quasi bianco di capelli: «Come va? – mi chiese. – Resisti?»

La sua voce era senza particolari inflessioni dialettali e il suo comportamento molto urbano. «Resisto, – gli risposi, – ma il tempo in questa baracca non passa mai. Non c'è aria, non ci si può quasi muovere e i pidocchi mi mangiano». Lui disse: «Ciao, tieni duro», e se ne andò a guardare da un'altra finestra.

Nei giorni che seguirono dopo questo primo incontro qualche volta si avvicinava per parlarmi dei viaggi che aveva fatto, dei libri che aveva letto, della sua città che non nominava mai e che non capivo quale fosse; dell'isola di Cefalonia dove lo avevano preso i tedeschi dopo l'otto settembre. Era proprio molto bella l'isola di Cefalonia con il suo limpido mare, gli ulivi, l'odore del timo e della salvia, il sole, le donne greche, i muretti a secco attorno gli orti dove maturavano fichi dolcissimi. Chiudendo gli occhi potevo immaginarla.

Ma mi raccontava anche di cose che mai avevo sentito dire o letto sui libri: di elezioni, di parlamento, di democrazia, di libertà che c'erano in Italia prima di Mussolini e che lui da giovane studente aveva vissuto ma che sarebbero ancora ritornate per chi, finita la guerra, sarebbe sopravvissuto.

Da questi discorsi mi venne il sospetto che forse era stato un ex ufficiale che alla fuga del re e degli altri capi si era strappato i gradi; ma la cosa si chiarí quando glielo chiesi e mi assicurò che non poteva esserlo perché repubblicano e socialista, loro non lo volevano come ufficiale ma nemmeno lui avrebbe voluto esserlo; lo consideravano un anarchico e anche per questo lo avevano richiamato e mandato in fanteria in un'isola della Grecia.

Un mattino fece il giro della baracca e non trovandomi a guardare gli stivali delle sentinelle venne accanto al tavolaccio dove stavo disteso.

«Cosa hai oggi? – mi chiese. – Mi sembri di umore nero».
«Mi hanno rubato il pane», risposi.
Avevo diviso la mia razione in due parti, una l'avevo mangiata subito e l'altra l'avevo nascosta tra i miei stracci per il mattino dopo. Non l'avevo piú trovata e quasi mi veniva da piangere, piú per la rabbia del furto subito che per la fame. Mi guardò e se ne andò senza parlare. Dopo un paio d'ore fu di ritorno e sedendosi all'orlo del tavolaccio levò dalla tasca un pezzo di pane e me lo porse. Non lo volevo accettare; tenevo con forza le mani dentro le tasche del pastrano e facevo di no con la testa.
«Mangia, devi resistere. E poi non è la mia razione; l'ho comperata con due sigarette, io non fumo piú e ne ho ancora dalla Grecia. Prendi!» Me lo posò accanto e se ne andò. Allora lo raccolsi e masticando e insalivando ogni boccone per farlo durare a lungo, incominciai lentamente a mangiare.

Passarono ancora dei giorni sempre uguali e lunghi in compagnia della fame, delle liti, del fetore, dei furti, dell'umidità, dei pidocchi; ma con ogni tanto uno sprazzo d'amicizia e di solidarietà che dava speranza. Una mattina che era appena fatto il giorno un soldato armato apparve nel vano della porta, ordinò il silenzio e gridò forte il mio numero di matricola. Che lo seguissi!
Cercai in fretta l'amico che mi aveva donato il pane e la sua compagnia per scambiare un saluto, raccolsi la mia roba e zoccolando sul terreno gelato seguii il soldato.
Ad aspettarmi vicino al portone dove campeggiava la scritta come un arco *Kriegsgefangenenlager* e le torrette di pali con le mitragliatrici, dopo la grande distesa di baracche silenziose, trovai un altro compagno, un ragazzo in divisa d'alpino. Ci perquisirono e frugarono nei nostri zaini. Nel mio trovarono il piccolo fascio di fogli di carta legati con uno spago e chiamarono un interprete per leggerli. Forse non riusciva a decifrare la mia scrittura e mi fece delle do-

mande; fece finta di leggere e poi parlò con Braun. Mi riconsegnarono i fogli dei *Ricordi della ritirata di Russia*. Mi vollero anche sequestrare la mezza bottiglietta di acqua di colonia che un marinaio, quando ero all'Aufnahmebarake, volle donarmi prima di rientrare in Italia come volontario; per me, quella poca acqua di colonia, era l'unica cosa che poteva sensibilmente rievocarmi un mondo lontano e ogni tanto l'annusavo chiudendo gli occhi. Loro volevano sostenere che era materiale infiammabile, buono per fare sabotaggi e quindi pericoloso; ma vedevo e capivo che il caporale del portone lo desiderava per golosità. Dopo molto insistere riebbi anche questa bottiglietta di *Köln 4711*.

Con un cenno il maresciallo fece aprire il grande cancello e alzare la sbarra. Ci avviammo scortati da due soldati molto anziani e molto armati e lasciammo cosí le baracche, le multiple file di reticolati, le torrette con le mitragliatrici e le sentinelle; e ci trovammo in una aperta campagna senza vegetazione, fredda e grigia, popolata da corvi e dove in lontananza campeggiava il grande e tozzo mausoleo di Hindenburg.

Parlando con il mio nuovo compagno di sventura seppi da lui che ci avrebbero condotti in un distaccamento di prigionieri presso una grande fattoria ai confini con la Lituania e che il nostro lavoro sarebbe stato quello di andare ogni mattina e ogni sera con un carro tirato da un cavallo e sotto scorta, a raccogliere il latte nelle stalle sparse per la campagna e portarlo a un caseificio. Eravamo molto fortunati.

Camminavo in silenzio e non riuscivo a rendermi ragione perché quel soldato avesse gridato il mio numero. L'ordine era venuto da Braun o dalla fureria del Lager dove tra quelle carte lavoravano anche prigionieri italiani? O era perché nel primo mese di internamento avevo detto per le baracche del mio blocco che bisognava resistere alle lusinghe di ritornare a combattere per i tedeschi e loro l'avevano saputo? E poi, perché un lavoro cosí speciale dove avrei potuto anche levarmi la fame?

Dopo mezz'ora arrivammo alla stazione ferroviaria. I civili che aspettavano il treno ci guardavano con curiosità e compassione ma una donna che tentò di avvicinarsi con un pezzo di pane in mano venne cacciata via in malo modo dai nostri custodi.

Nella fredda mattina di gennaio il treno si fermò sbuffando vapore bianco e fumo nero; dopo che furono scesi e saliti tutti i civili fecero salire anche noi; ma non ci permisero di sedere anche se c'erano posti liberi e quando tentai di rivolgere la parola a un vecchio polacco che ci sorrideva, una guardia mi impose di tacere.

Non ricordo quanto durò il viaggio; a me parve molto breve e molto strano; insolito come altro mai mi accadde di fare. Guardavo con curiosità i passeggeri, il paesaggio desolato attraverso i finestrini, l'interno del vagone e dopo quattro mesi di Lager mi rendevo conto che *fuori* il mondo continuava ad esistere malgrado tutto. Esisteva in qualche luogo ancora il mio paese, la mia casa dove non potevo far giungere notizie, o averne.

Ci fecero scendere in una stazioncina isolata tra poche case sparse in una campagna piatta e spoglia, coperta a tratti di neve. C'incamminarono verso un fabbricato di mattoni basso e largo e recintato da reticolati e staccionate, ci consegnarono ad altri soldati e questi ci fecero scendere per la rampa in un seminterrato che forse era stato una stalla e rinchiusero la porta alle loro spalle. Dove una volta era il posto dei cavalli vi erano ora dei sacconi con trucioli di legno; nelle mangiatoie erano riposti barattoli e zaini; al centro della stalla, come una statua, si ergeva una grande stufa ancora calda. E qui, accanto alla stufa ci sedemmo in attesa.

La sera scese molto presto e poi nel buio sentimmo le voci dei prigionieri italiani, dei passi ed aprirsi la porta. Venne accesa la luce. Con loro entrò l'aria fredda e umida del Baltico; ma non ci fu modo di scambiare qualche parola perché una voce da fuori chiamò per la zuppa e anche noi due ci mettemmo in fila nel cortile davanti a una piccola baracca recintata e con una piccola apertura a sportello da dove una ragazza ritirava i recipienti vuoti per restituirceli con la razione giornaliera: un litro di zuppa e una fetta di pane.

Quando rientrammo nella scuderia per mangiare vi fu un intrecciarsi di domande e di brevi risposte. I nostri nuovi compagni volevano sapere dell'andamento della guerra; se i russi si avvicinavano e se gli americani erano sbarcati in Francia, se avevamo notizie dall'Italia. Ma nemmeno loro avevano ricevuto notizie da casa, o potuto darle.

Noi volevamo sapere del lavoro, del trattamento, di questo luogo senza nome. Erano circa una sessantina e fu con sorpresa che tra questi vidi un gruppetto di alpini, che se anche non erano del mio battaglione appartenevano al medesimo reggimento e che tre o quattro di questi avevano fatto la mia stessa strada nella ritirata di Russia. Erano qui da tre mesi, lavoravano con forconi e badili a sistemare il pietrame tra le traversine e a calibrare le rotaie lungo la linea ferroviaria per Königsberg; il cibo era quello che avevo visto. La domenica era giorno di riposo e di pulizia, ma dalla zuppa che davano a mezzogiorno bisognava aspettare la sera del lunedí per ricevere ancora qualcosa da mangiare. Una domenica, mi dissero, era venuto anche un medico civile a visitarli e una decina o piú di compagni erano stati portati via perché probabili Tbc. Non li avevano piú rivisti.

La sveglia avveniva sempre nel buio piú profondo e la sentinella dopo aver gridato l'*aufstehn* chiamava uno per ritirare il tè per tutti. Non era certo tè, ma un infuso di tiglio con un po' di zucchero; veniva distribuito in abbondanza ed era pur sempre una bevanda calda, poi fino a sera non ci veniva dato altro.

All'adunata ci mettevano in fila per tre fuori nel cortile, ci contavano e poi pestando sulla neve e al passo ci conducevano fino alla piccola stazione deserta dove alle cinque e trenta passava un treno a raccoglierci. In un'altra stazioncina salivano dei polacchi molto anziani, qualche civile di lingua tedesca e i ragazzi delle fattorie sparse che si recavano a scuola nella città piú vicina. Noi scendevamo primi, quando il treno rallentava dopo una decina di chilometri. Si lavorava sino a buio e si ritornava a piedi.

Come custodi avevamo quattro soldati e un sottufficiale, tutti inabili per ferite di guerra; sul lavoro assistevano anche degli anziani *Meister* prussiani e su tutto: su noi, sugli altri distaccamenti di prigionieri che erano nella zona, sui polacchi, sui lettoni, sulla ferrovia, sui tedeschi c'era a comandare un ex ufficiale delle SS senza un braccio e sempre vestito di nero, e che ogni giorno passava a controllarci sul lavoro, in piedi sopra un carrello a batterie manovrato da un soldato.

La stalla dove si dormiva era calda perché quasi del tutto interrata, e poi la grande stufa in ghisa e cotto veniva alimentata con il carbone che si raccoglieva lungo la ferrovia e che i fuochisti lasciavano cadere perché impietositi dalla nostra miseria. Anche dalle tradotte militari che andavano al fronte verso Leningrado cadeva qualcosa perché i cuochi dei soldati al vederci cosí malandati, esposti alle intemperie e cupi, certe volte facevano rotolare dalla scarpata rape, patate e cavoli che scartavano dal vagone viveri. Noi, naturalmente, si raccoglieva tutto; ma mentre il carbone veniva messo in un mucchio comune, per le cose da mangiare ognuno disponeva come gli accomodava e le piú volte nella pausa tra le dodici e le tredici queste verdure venivano mangiate cosí com'erano mentre stavamo rannicchiati sottovento vicino a un magro focherello di sterpi ai piedi della scarpata.

Il vecchio polacco che lavorava con il mio gruppo si chiamava Johannes, non Ivan o Hans, e anche lui diceva che la sua casa era molto lontana; era un cattolico fervente, innamorato dell'Italia e di Roma dove c'era *Petrus*. Per farsi comprendere usava con noi il latino che aveva imparato con le preghiere e con la messa; era anche molto buono e púdicissimo e quando sentiva qualche nostra imprecazione si faceva il segno della croce. Ogni tanto, a turno, ci regalava una fettina di pane sottile come un'ostia e ci faceva dare una tirata nella sua pipa dove fumava *makorka*, le nervature delle foglie di tabacco non conciato.

Questo poteva accadere soltanto durante la sosta tra le nove e le nove e un quarto, quando i guardiani facevano colazione, o tra mezzogiorno e l'una quando noi sognavamo di mangiare. Ma questa ultima sosta piú che un riposo era anche una pena perché la fame ci tormentava, e anche il vento che molte volte soffiava impetuoso e impietoso dalla parte del mare; cosí qualche volta preferivo camminare sotto lo sguardo delle sentinelle e lungo le traversine cercare un pezzo di carbone, una cicca, una rapa gelata fatti cadere dalle tradotte.

Dei quattro civili che sorvegliavano e dirigevano il nostro lavoro due si mettevano alle estremità del tratto di ferrovia in opera e al passaggio di ogni treno suonavano la tromba per segnalarci il pericolo. Passavano treni merci, treni di soldati che andavano al fronte, treni carichi di feriti che ritornavano, treni locali di passeggeri; ma ogni tre giorni passava anche puntuale e veloce un treno tutto lucido, con vagoni letto e vagoni ristorante. Vedevamo come in un sogno passare tra le luci figure di signore ingioiellate e con il corpo avvolto in vestiti leggeri, ufficiali carichi di decorazioni sopra le pulitissime divise, camerieri in giacca bianca e alamari d'oro che servivano cibi e bevande sopra candide tovaglie. Ma da questo treno mai cadde una cicca o un pezzo di pane.

Alla sera si trascinava la nostra stanchezza verso la stalla dove ci aspettava un poco di caldo, un litro di zuppa e una fetta di pane.

Una mattina mi rivoltai a un sorvegliante, era un omaccio grande e rosso. Mi ero fermato per masticare un boccone di pane che con tanta fatica avevo conservato fino a quel momento; quando mi notò si avvicinò minaccioso con il braccio alzato e la mano a pugno come per picchiarmi. Urlava: «Chi non lavora non mangia!»

Allora anch'io alzai il piccone che avevo appoggiato alla gamba. Ero esasperato e deciso, lui per fortuna se ne accorse in tempo e si allontanò sputando per terra. Ma la mattina dopo me la fece pagare e per tre giorni mi costrinse a lavorare in una palude ai lati della scarpata. Con i sabot di legno ai piedi e dentro all'acqua fino alle caviglie dovevo pulire dalle erbacce i canali di scolo; in piú venne anche il vento con pioggia e neve a sferzarmi il viso.

Ma il tempo passava e un giorno sarebbe pure arrivata la fine, ed ero certo che sarei ritornato. Una sera, non ricordo ora se fu con un baratto o se le avevo rubate alla stazione, mi trovai padrone di cinque patate. Erano cinque belle patate grosse e sode, non marce o gelate, e aspettavo che passasse l'ultimo controllo per cucinarle dentro la stufa. Venne il sottufficiale, passò a contarci mentre stavamo stesi ognuno al nostro posto, rinchiuse la porta con il catenaccio e spense la luce.

Aspettai ancora un poco, presi la gavetta che avevo preparato con dentro l'acqua e le patate e mi avvicinai al bagliore rosso che veniva dalla stufa; apersi lo sportello di ghisa e posai dentro la gavetta vicino al carbone incandescente. Vennero lí anche tre o quattro amici e in attesa che le patate cucinassero parlavamo sottovoce di quando l'anno prima eravamo in Russia. Ma ogni tanto, come un sogno ripetitivo, si ritornava a dire di un fantastico pranzo che si sarebbe fatto alla fine della guerra, con minestrone e pane a volontà.

Cosí, tra un ricordo e un sogno, uno levò dalla tasca i mozziconi che era riuscito a raccogliere lungo le rotaie, li sciolse e con un pezzo di giornale arrotolò una sigaretta che poi accese e a turno fumammo una boccata per ciascuno sino a consumazione.

Improvvisamente dissi: «Attenti!» e restammo ad ascoltare in silenzio. Sentimmo il catenaccio scorrere e in silenzio ritornammo ai nostri posti e ci tirammo sopra il pastrano. Entrò una guardia seguita dal sergente che con la lampadina tascabile girò poi tutt'intorno il fascio di luce. Passarono quindi a contarci, lentamente ripeterono l'operazione controllando le gambe e si fermarono per un po' vicino alla stufa. Si mossero per uscire, ma si fermarono ancora sulla porta a parlare sottovoce; finalmente se ne andarono e ci rinchiusero. Forse nei dintorni era successo qualcosa.

Quando tutto ritornò tranquillo uscii lesto da sotto il cappotto ma nell'aprire lo sportello della stufa provai una delle mie piú grandi delusioni: il calore del carbone, nell'attesa che se ne andassero, aveva fatto evaporare tutta l'acqua e fondere l'alluminio. Della gavetta era rimasto un grumo grigio tra la marogna incandescente e delle patate nemmeno il fumo. L'indomani avrei anche dovuto cominciare la ricerca di un barattolo o altro recipiente per sostituire la gavetta, il che non sarebbe poi stato tanto semplice.

Intanto si andava verso la primavera e l'aria si faceva piú mite e noi si cercava di capire come andasse la guerra dall'umore dei nostri custodi. Quando s'incattivivano pensavamo che forse gli americani erano sbarcati o che l'Armata Rossa si era avvicinata. Intanto sempre piú numerosi erano i treni dei soldati che andavano e venivano.

Una sera al rientro trovai una sorpresa: era arrivata della posta e per me c'era una cartolina *Kriegsgefangenenpost* di mio padre. Erano passati sette mesi, o piú, senza avere alcuna notizia da casa. Ora finalmente potevo sapere che dopo l'otto settembre i miei fratelli e mio padre erano riusciti a raggiungere la famiglia; erano tutti insieme ancora una volta e ancora una volta il peggio era toccato a me.

Alla distanza di quindici giorni ricevetti anche un pacco con pane biscotto e riso cuciti dentro una tela, ma il pane si era sbriciolato e il riso mescolato con il pane. Anche altri compagni ricevettero pacchi da casa e cosí la sera della domenica di Pasqua interrompemmo il digiuno mettendo tutto insieme per una zuppa comune. Si buttò dentro una grande pignatta tutto quello che si aveva: pane biscotto, farina, patate, riso, pasta, rape, piselli secchi, cavoli. Il sergente tedesco mi permise anche di entrare in cucina per sorvegliare la cottura e le due ragazze russe deportate dalla provincia di Vinizza e che facevano le cuoche ai soldati tedeschi e a noi, sorridendo, e di nascosto, buttarono nel calderone anche un bel pezzo di margarina.

Fu la nostra Pasqua del 1944. Ma io per quel giorno avevo anche una cosa che gli altri non avevano: un uovo. Un uovo di gallina cotto e colorato con le erbe, come quelli che le ragazze del mio paese usano donare ai ragazzi la vigilia dell'Ascensione; e aspettavo di mangiarlo nell'angolo del recinto dove si vedevano la campagna e le betulle rinverdite. Quell'uovo me lo aveva infilato nella tasca del pastrano una bambina polacca che ogni mattina incontravamo quando si recava a scuola con i compagni. Ci guardavano passare e ci regalavano un sorriso. La mattina del Sabato Santo si era avvicinata furtiva e lesta; poi sentii quel peso insolito nella tasca e con la mano avevo scoperto al tatto l'incredibile dono.

Quella primavera nel Lager 344

Un giorno di fine aprile del 1944 ci fecero rientrare dal lavoro e radunate le poche cose ci condussero alla prima stazioncina spersa in quella landa. Qui ci fecero entrare in un carro bestiame e ci rinchiusero. A notte sentimmo che il carro veniva agganciato a un treno. E partimmo.

Uno addosso all'altro, semiaddormentati, pieni di fame e di miseria sentivamo i colpi dei respingenti e i sobbalzi degli scambi rintronarci nel cervello. Ogni tanto delle voci esterne roche o urlate ci facevano capire che forse si stava transitando da qualche stazione; ma nulla sapevamo di quello che stava accadendo fuori. Dopo veglia e sonno venne l'alba dall'alto finestrino inferriato, e fattomi sollevare fin lassú da un compagno robusto cercammo di capire la direzione e il luogo.

La direzione, leggendo il segno del sole che mai non sbaglia, era decisamente verso sud. Ma quale il luogo? Era foreste di betulle e di pini, paludi, qualche villaggio semideserto attorno a poche terre scure arate da cavalli magri come noi. Passando da una stazione con tutti i binari occupati da tradotte con soldati tedeschi, potei leggere «Bialystock».

Tutto il giorno restammo rinchiusi consumando lentamente il pane che ci avevano dato prima di rinchiuderci; con la nostra sete, con il nostro odore animalesco. Passammo anche un grande fiume, e ci accorgemmo di questo per lo sferragliare sopra un ponte. Forse era la Vistola? Alla sera il treno si fermò in una stazione dove non c'erano case. Ci fecero scendere per defecare tutti in gruppo ai piedi della scarpata e sotto lo sguardo indifferente della scorta armata; chiesi dell'acqua, e ci permisero di rifornirci alla riserva per le locomotive. Ci rinchiusero nel vagone che era stato sganciato dal treno e lasciato su un binario morto. Ci diedero anche un pane ogni sette. Durante la notte sentimmo che il nostro vagone veniva riagganciato e riprendemmo ad andare per l'altra parte della notte.

Il luogo dove ci fecero scendere portava una scritta in tedesco: «Lamsdorf», ma non era certo in Germania. Forse un angolo dell'Europa tra Moravia, Polonia e Ucraina? Forse eravamo in Galizia? O in Slesia? Il Lager, lo ricordo bene, portava il numero «344» e mai conobbi luogo piú triste e desolato. Vi giungemmo dopo una marcia faticosa, trascinando i piedi nella strada polverosa mentre il vento scuoteva la primavera dagli alberi.

Entrammo; e dopo averci contati, ricontati e ancora contati ci spinsero in una baracca vuota e spoglia. Vedemmo cose che ogni tanto ricompaiono come in una nebbia d'incubi. Come quel gruppo di una trentina di prigionieri sicuramente italiani che giunse un'ora dopo di noi: erano usciti dalle miniere di carbone e solamente gli occhi erano bianchi; di un bianco terribile, spento e senza luce, come senza suono erano le bocche e magrissimi i corpi. Andammo a raccoglierli nella baracca delle docce per caricarli sul carro dei morti. Erano leggerissimi.

Questo campo «344» non era esteso e nemmeno organizzato e rigoroso come il Lager 1/B della Masuria dove ci avevano immatricolato, fotografato, prese le impronte digitali. Qui il comando e i soldati tedeschi vivevano appartati; solamente una coppia di tedeschi armata con pistole mitragliatrici girava annoiata tra gli spazi delle baracche dove il vento mulinava sabbia e festuche. Gli altri stavano fuori, con le mitragliatrici, e la sorveglianza interna era esercitata da ex soldati russi che avevano sul braccio sinistro una fascia (verde? bianca?) e nella mano destra un bastone.

Non c'erano impianti per l'acqua e si attingeva a due pozzi, uno per noi e uno per i russi, scavati nello spiazzo della conta. Ma anche l'acqua era morta e lasciava nella bocca sapore di limo e sabbia. Non esisteva neanche la baracca per le latrine e al bisogno si andava all'orlo di una fossa scavata lungo i reticolati; l'erba che cresceva stentata negli spazi non calpestati era secca e gialla e non trovai specie mangiabili.

La sera del nostro arrivo i guardiani russi vennero a prendere otto di noi che poco dopo ritornarono portando a spalla, su quattro stanghe, quattro mastelli di patate lessate che posarono nel mezzo della baracca. Senza litigare e senza ingorghi riuscimmo a imporci una certa disciplina e a dividerci le patate che poco dopo quasi tutti vomitammo perché guaste.

Il pane, umido, con tracce di paglia, ammuffito e rosicchiato dai topi, ci veniva consegnato al mattino dopo la conta che avveniva nel grande piazzale ventoso. Questa operazione era sempre molto lunga perché conta e riconta, a file di cinque, di sette, di dieci andava a finire che i guardiani russi perdevano il numero che il caporale tedesco, come un dio, aspettava sotto l'ombra dell'unico albero da dove pendeva la forca.

In questo frattempo qualcuno di noi cadeva svenuto per la fame e dieci prigionieri italiani e dieci prigionieri russi, sotto scorta, tiravano i due carri dei morti sostando davanti a ogni baracca. I nostri compagni e i prigionieri russi che durante la notte avevano finito le loro pene, venivano spogliati nudi, caricati sul carro e portati nelle grandi fosse fuori dai reticolati, in fondo al Lager, dove incominciava il bosco. Scaricati laggiú venivano aspersi con palate di calce.

Forse è questo il luogo e i fatti che il contadino polacco Henryk Baranoski testimoniò al procuratore del tribunale della Circoscrizione di Lublino il 12 aprile del 1948:

«...Circa il trattamento fatto ai prigionieri faccio presente che la mortalità era molto alta a causa della fame che pativano e delle malattie infettive... In un primo tempo i cadaveri venivano trasportati dentro casse o su tavole; poi i tedeschi si servirono di grossi carri con le fiancate alte trainati da quattro cavalli. Dopo che era stata costruita una strada che portava dal campo al luogo della sepoltura erano gli stessi prigionieri a trascinare i carri... Io ho visto le fosse perché mi sono recato sul posto quando non c'erano le sentinelle e ad ogni modo col pretesto di condurre la mucca al pascolo...» (*Le tombe dell'Armir*, di Jacek Wilczur).

Per nostra fortuna non restammo tanto tempo al «344» perché dopo un mese chiamarono il nostro gruppo nello spiazzo della conta dove ci fecero spogliare nudi come vermi su un'unica fila. Un caporale teneva un registro dove erano segnati i nostri numeri di matricola mentre un sergente ci esaminava uno per uno tastandoci le braccia e dandoci un pizzicotto sulle natiche con la mano guantata. Al riscontro dei sintomi dava la sentenza: *uno*, *due* o *tre*.

Capii subito cosa volessero dire con quella classificazione che il caporale segnava scrupolosamente accanto ai nostri numeri: lavori pesanti, lavori leggeri e fine nel Lager. Quando il sergente mi giunse davanti cacciai fuori il petto e tentai di gonfiare i muscoli; osservò anche una cicatrice che ho sulla caviglia sinistra e io osai dire «Russland». Sentenziò *uno*, e forse fu la mia salvezza.

Questo accadeva nel maggio di quarant'anni fa. Alcuni anni or sono mi interessai per conoscere il nome di quel «344» e venni a sapere che in quella località, dopo che furono allontanati, o morti, i prigionieri italiani e russi, vennero rinchiusi i superstiti della rivolta nel Ghetto di Varsavia. Uno solamente uscí vivo, un poeta che al Lager «344» dedicò un poema.

Il pane del nemico

Dopo che ebbero fatto la scelta classificandoci secondo il loro giudizio, venimmo divisi in tre gruppi. Il primo, di cui facevo parte, e il secondo vennero condotti in due baracche distinte verso l'uscita del campo; il terzo gruppo sarebbe rimasto nel Lager in attesa della morte per inedia. Tra i compagni del primo gruppo mi ritrovai con diversi alpini: reclute catturate con ancora sulla bocca il latte di casa, qualche *meno atto* ai servizi di guerra e noi pochi superstiti delle campagne di Grecia e di Russia. Facemmo subito lega, e loro mi dissero che dovevo rappresentarli per ogni cosa nei confronti dei tedeschi.

Quella sera stessa si presentò un'occasione. I guardiani russi erano venuti a prendere due di noi per prelevare il pane che doveva servire da viatico per il prossimo viaggio, ma quando i nostri due incaricati ritornarono con il pane dentro una coperta e mi accinsi alla distribuzione, mi accorsi che mancavano diverse razioni.

Controllai bene ogni cosa e feci in tempo a fermare la spartizione singola; dopo essermi accertato che la mancanza non era dovuta a furto nell'interno del nostro gruppo, chiamai un graduato tedesco che stava passeggiando oltre i reticolati. In maniera secca e concisa gli dissi che volevo immediatamente conferire con il Lagerführer. Il caporale senza esitazione, e come obbedendo a un ordine, entrò nel recinto delle baracche scostando con lo sguardo il guardiano e, senza chiedermi il perché, mi disse di seguirlo.

Al Lagerführer spiegai la frode che avevamo subito e dissi che il pane prelevato era ancora lí, intatto dentro la coperta, e che non l'avrei distribuito anche perché tutti concordi avevamo deciso di non mangiarlo se prima non ci avessero dato quanto ci spettava secondo il regolamento. «Sí, certo!» rispose. Non volle controllare, e fatto venire un sergente diede degli ordini. Ci avviammo verso il magazzino.

Il caporale addetto alla distribuzione e i suoi tirapiedi russi al vederci arrivare cambiarono colore; il Lagerführer parlò a costoro dopo averli messi sull'attenti: disse che nel giro di un quarto d'ora dovevano riconsegnare il magazzino e che immediatamente dovevano consegnarmi il pane che non ci avevano conteggiato. Ritornai nella baracca con il pane tra le braccia; i miei compagni mi aspettavano lungo i reticolati e quando entrai mi accolsero con voci di festa.

Quella stessa notte, camminando senza sentire nulla e senza vedere il cielo, ci condussero al treno. Venimmo stipati nei soliti vagoni, rinchiusi e avviati ancora verso qualche ignoto luogo. Al mattino vidi che la direzione era sud-est e che forse stavamo attraversando la Moravia. «Ci avviciniamo all'Italia» pensai subito, e mi premurai di comunicarlo ai miei compagni.

Ora con lunghe soste, ora correndo e sobbalzando su rotaie sconnesse, arrivammo alla periferia di Vienna. Venne un allarme aereo, verso il cielo spararono i cannoni e sulla terra cadevano le bombe dagli aeroplani. Il treno corse via e infilò una valle stretta tra montagne di cui non si vedeva la cima. Non mi staccavo dall'inferriata del finestrino perché dopo dieci mesi ritornavo ancora una volta a rivedere le montagne, i boschi, i rivi di acqua allegra; fiori, uccelli. Respiravo con avidità quell'aria che mi pareva di casa.

Al mattino successivo ci fecero scendere ed entrare in un grande Lager diviso in blocchi. I prigionieri italiani che erano lí rinchiusi provenivano dalla Grecia e dalle isole dell'Egeo e noi da loro volevamo sapere tante cose. Ci trovavamo nel cuore dell'Austria, nella Stiria; in questo posto prigionieri e deportati di ogni nazionalità lavoravano giorno e notte a cavar ferro sulla montagna: l'Eisenberg, che era tutta a gradoni e dal Lager si vedeva. Mi rese subito l'immagine del Purgatorio dantesco. Il lavoro era duro, la disciplina rigorosa, ma il cibo discreto; chi però tentava di fuggire o di sabotare veniva spedito in uno Straflager da dove pochissimi uscivano vivi.

Nel pomeriggio radunarono il nostro gruppo e, sempre sotto scorta, ci fecero uscire e camminare per una strada a fondo naturale che saliva erta per il bosco. Lungo il cammino riuscii a ghermire e a portarmi alla bocca germogli teneri di abete e di crespino, foglie di acetosella, di pastinaca e di tarassaco. Le bacche non erano ancora formate, ma con felicità raccolsi e misi provvisoriamente in una tasca una decina di grosse lumache pensando «In questo luogo non morirò di fame».

Il Lager 60 5GW dove ci fecero entrare era su un valico tra alte montagne ferrigne chiazzate di neve e con cupi boschi di abete che si perdevano giú per le valli. Prima di assegnarci la baracca dove dormire ci condussero in una baracca refettorio, cosa mai prima d'ora vista, e qui, con nostra grande sorpresa, ci distribuirono il pane e la minestra. Ma il pane non era quello solito del Lager: la forma era quella tradizionale di ogni pane civile e, anche se scuro e compatto, risultava ben cotto e saporito; per la prima volta ricevemmo una razione di tre etti abbondanti, ossia un pane di un chilo ogni tre. La zuppa, poi, era di orzo e patate, ma densa e persino condita con lardo! Increduli ci si guardava in faccia e dopo mangiato chiesi ai cucinieri del perché di questa abbondanza. «È, – ci risposero, – perché la società proprietaria della miniera, la *Firma Alpina*, integra la razione dei prigionieri che altrimenti non ce la farebbero a lavorare».

Venne poi un caporale tedesco a dirci che il Lagerführer sarebbe tra poco venuto a darci l'accoglienza e che ci mettessimo in riga per tre. Se anche eravamo una banda di patiti straccioni, i resti delle nostre divise mostravano ancora i distintivi del corpo e tutti, poi, avevamo ancora il nostro cappello alpino. Quando entrò l'ufficiale non aspettai l'ordine del caporale tedesco e diedi io l'«attenti!» presentando la forza come quando ero caporale alla Scuola alpina d'Aosta. Gli straccioni scattarono tra l'ironico e il divertito battendo con fracasso i tacchi degli zoccoli.

Il Lagerführer sussultò e stette al gioco: ci passò in rivista salutando impeccabile, poi, anche lui batté i tacchi ancora salutando sull'attenti davanti a tutti. Con un cenno mi chiamò. Lui era un sottotenente molto anziano, anzi ai nostri confronti vecchio e canuto, aveva l'aspetto di un intellettuale borghese e dietro gli occhiali d'oro aveva uno sguardo mite.

Mi guardò dai piedi alla testa e poi fermò gli occhi sopra la mia fronte: «Also! – disse sorpreso. – Voi siete del sesto reggimento?» Aveva letto il numero sul fregio del cappello. Rimase in silenzio come se qualcosa d'insolito gli si presentasse improvvisamente davanti. Poi riprese: «Nella vecchia guerra un soldato del tuo reggimento sulla cima dell'Ortigara con il calcio del fucile mi ha fracassato la mandibola». E si toccò con una mano il mento dove erano ancora evidenti i segni.

Mi sentii tremare le ginocchia pensando: «Questo ora me la fa pagare». Invece mi chiese da che paese fossi, dove era la casa, e glielo dissi. «Proprio di lí, – insisteva. – Lí, in piazza vicino alla chiesa». Mi nominò allora montagne e valli, paesi e contrade, malghe e località anche piccole chiedendomi come erano quando le avevo lasciate. Sull'Altipiano aveva fatto tutta la Grande Guerra, ed era tanto tempo che non sentivo parlare cosí della mia terra. Con il tempo venni a sapere che il Lagerführer era un ingegnere viennese; con noi si comportò da galantuomo e quando un italiano traditore mi denunciò per sabotaggio mi salvò dallo Straflager.

Nell'ultimo inverno di guerra

La miniera di ferro, l'Eisenberg, era sempre battuta dalla tormenta, e sui gradoni degli scavi il vento e la neve vorticavano come la bufera infernale che mai non resta, in un vortice verticale.

Si può dire che su quei gradoni erano a lavorare deportati e prigionieri d'ogni nazione d'Europa e anche popolazioni asiatiche. I belgi, i francesi e gli inglesi avevano i posti migliori: al riparo dentro le gallerie, nelle baracche dove con le forge temperavano e appuntivano gli arnesi per scavare, o anche ai servizi per i trasporti con mezzi meccanici e alla funicolare che saliva da Eisenerz. Forse avevano avuto questi posti di privilegio perché erano arrivati prima e avevano sostituito via via gli austriaci richiamati nella Wehrmacht e avviati sul fronte russo. Ma tra quelle migliaia di forzati si diceva anche, e forse era vero, che nella scala dei valori razziali inglesi, belgi e francesi valessero di piú dei russi, polacchi, serbi e slavi in genere, e dei greci, italiani, mongoli, cosacchi, usbechi. Gli slavi, i mongoli e gli italiani avevano i posti peggiori, sui gradoni piú alti a scavare il materiale pesantissimo, a caricarlo sui carrelli, a spingere a forza di bracci sette vagoncini alla volta fino allo scarico e rovesciarlo nel colatoio per farlo scendere ai ripiani di carico dove i treni lo portavano verso le fonderie di Leoben o di Wiener Neustadt. Il lavoro era continuo giorno e notte, di otto ore per turno, e ogni squadra doveva produrre un certo numero di carrelli.

Naturalmente i gradoni piú alti erano quelli maggiormente soggetti alle inclemenze e alle bufere; sia per l'altezza della quota che per l'esposizione a ogni vento, in quanto la montagna di ferro non fa parte di una catena o di un massiccio, ma è isolata dalle altre e allo sbocco delle correnti. Lassú il vento, certi giorni, non faceva respirare e la neve era come vetro che tagliava il viso. Qualche volta nelle nicchie delle pareti, appoggiati in piedi e rigidi come ghiaccio, si ritrovavano i cadaveri dei prigionieri che invece del rifugio trovavano la morte. Sulla cima c'era una croce di putrelle arrugginite e dalle sue braccia pendevano candele di ghiaccio.

Ma ormai, in quel febbraio del 1945, le guardie armate e i capi squadra civili, vecchi minatori stiriani, non erano rigorosi come nei mesi e negli anni precedenti; e questo per i bombardamenti degli alleati che avevano distrutto la maggior parte delle fonderie, e per i grandi stormi delle «fortezze volanti» che riempivano il cielo anche in pieno giorno, ma anche e soprattutto avevano timore per l'Armata Rossa che inesorabilmente avanzava da Est e che era già penetrata dai confini del Grande Reich. Non lo dicevano apertamente, ma anche loro speravano fosse questo l'ultimo inverno di guerra, e non credevano all'«arma segreta». Nella latrina del gradone piú in alto uno di loro aveva scritto in tedesco: «L'arma segreta di Hitler = le rape gialle». Le *goldrapen*, che la propaganda diceva molto nutrienti e con tante vitamine.

In quel febbraio su quelle montagne la neve cadde abbondante, e per qualche giorno la miniera restò anche ferma. Squadre di prigionieri e di deportati spalavano le strade dei Lager e i tetti delle baracche, e anche i viottoli di accesso alle baracche di servizio sulla montagna della miniera.

Fu in quei giorni che per la strada che saliva per la valle e scavalcava il Passo di Präbichl transitò una colonna di ebrei. Erano bambini, donne e vecchi che chissà da dove venivano e chissà dove andavano. Certo a morte. Sfilarono vicino ai reticolati, camminando a fatica tra la neve alta e che continuava a scendere. Al seguito avevano qualche vacca e qualche pecora patite e stentate come loro; erano anche poco vestiti. Qualcuno a piedi nudi. Camminavano sospinti dalle guardie di scorta e ogni tanto uno sparo finiva chi si adagiava sulla neve. Le guardie del Lager dei prigionieri erano piú tolleranti della scorta e finsero di non vedere i barattoli d'acqua e qualche pezzetto di pane che attraverso i reticolati venivano porti a quei disgraziati.

La fila era lunga e frazionata, si perdeva nella strada che saliva al Passo tra due muraglie di neve. Dopo qualche ora che furono passati, il sottufficiale del Lager chiamò una squadra di prigionieri con pale e picconi per andare a seppellire le donne, i vecchi e i bambini dentro il bosco silenzioso e bianco.

Nevicò ancora per giorni, senza smettere; baracche, reticolati, bosco e montagne, tutto era bianco uniforme e silenzioso. Su in alto la neve aveva sommerso anche l'ultima vegetazione: mughi, larici e ontani erano completamente coperti e le slavine scivolavano con rumore di vento per i fianchi che denudavano: dove erano passate riapparivano le rocce scure e ferrigne, i tronconi degli alberi spezzati, e dove la neve si era fermata, tronchi divelti, rami, sassi e, forse, caprioli e cervi. Giú nel fondovalle, invece, pioveva a secchie rovesciate, i fiumi si erano ingrossati e arrivò voce che alcuni ebrei passando su un ponte sopra il Mur, si erano gettati nella corrente per finire le pene.

Un mattino, era ancora buio e un silenzio assoluto avvolgeva il Lager sepolto dalla neve, il sottufficiale andò a svegliare la terza squadra. Dovevano scendere alla stazione di Trofaiach, salire sui vagoni dei civili e arrivare a Eisenerz, da qui con la funicolare salire alla miniera, attraversare la montagna dentro una delle tante gallerie e, infine, spalare un pezzo di strada per permettere ai prigionieri belgi di raggiungere gli spazzaneve.

Non erano mai saliti, durante i sedici mesi di prigionia, su un treno civile, e il fatto di ritrovarsi dentro uno scompartimento al caldo, tra viaggiatori comuni e con i posti a sedere era veramente inusitato e impensabile. I viaggiatori, per lo piú ragazzi e donne, venivano da Graz e da Leoben e forse andavano a Linz, e non dimostrarono imbarazzo per la loro presenza, e se proprio non si manifestavano cordiali lasciavano intravvedere qualche timido accenno di sorriso.

Il treno, formato da pochi vagoni e con una locomotiva in testa e una in coda, dopo il segnale di partenza sbuffò e fischiò e, tra nubi di vapore, incominciò la salita tra il rumore di ferraglia della cremagliera. Passate alcune gallerie ora viaggiava lentamente a mezza costa tra un turbinio di neve che il vento aveva cambiato in tormenta e sbatteva contro i vetri dei finestrini senza lasciare nulla alla vista dei viaggiatori. Infine si fermò. Fuori c'era solo una luce bianca che vorticava. La locomotiva che era in testa fischiò forte e breve per due volte, quella che era dietro rispose con tre fischi, il treno retrocesse per una decina di metri come per prendere la rincorsa, le locomotive allora fischiarono i loro segnali e la corsa riprese. Ma per poco, perché con rumore di respingenti che cozzavano e sussulti di vagoni che quasi fecero cadere i passeggeri dai loro sedili, il treno si fermò definitivamente.

Quando ritornò un po' di calma i ragazzi vollero aprire i finestrini, ma le raffiche di vento e neve li costrinsero subito a rinchiuderli. Il tempo passava e nessuno si muoveva; i viaggiatori incominciarono a domandarsi cosa mai fosse successo; chi stava leggendo aveva ripiegato il giornale e guardava preoccupato la neve che incominciava ad accumularsi sui vetri; qualche donna incominciò a rivolgere la parola ai prigionieri; un vecchio dopo aver acceso la pipa di maiolica borbottò: «Scheisse Krieg», e un soldato molto pallido che forse era in viaggio per andare in licenza di convalescenza lo guardò approvando. Un prigioniero osò domandare a una signorina che aveva ripiegato il giornale nella borsa, dove erano arrivati gli americani e se i russi avevano ripreso l'offensiva. «Siamo in fase di ritirate strategiche, – disse il vecchio della pipa, – e in attesa dell'arma segreta». Il prigioniero ricordò la scritta nella latrina della miniera e disse:

«L'arma segreta di Hitler sono le rape; hanno tante vitamine». Al che il vecchio aggiunse dopo aver levato la pipa dalla bocca: «Anche le patate e i cavoli!» E rise apertamente.

Il vento sbatteva la neve contro il vagone e si sentiva l'ululare della tormenta; gli spifferi di freddo incominciavano a farsi sentire anche dentro il vagone e i passeggeri si stringevano i cappotti attorno al corpo e si calcavano in testa i berretti di panno con i paraorecchi. Finalmente entrò il capotreno e tra il silenzio di tutti spiegò che delle valanghe si erano staccate dalla montagna e chiudevano il treno in una morsa di neve: non si poteva andare né avanti né indietro; anzi si era stati molto fortunati perché la valanga che era caduta davanti avrebbe potuto investire il treno: non l'avevano incontrata per pochi minuti. Non si poteva nemmeno mettersi in contatto con le stazioni piú vicine, né sapeva se da queste sarebbero potuti partire i mezzi di soccorso. Unica cosa da farsi era di raggiungere una baracca della miniera, e da lí per le gallerie interne arrivare alla stazione della funicolare e scendere al paese. In marcia, quindi, tutti insieme ad affrontare la tormenta; i prigionieri italiani avrebbero fatto da battipista.

Le tre guardie fecero scendere i prigionieri, poi scesero anche i civili; c'era anche un vagone di prima classe e quei signori erano vestiti con abiti da città: cappotti, scarpe basse e valige; anche costoro si accodarono alla piccola colonna.

La baracca era a circa un chilometro, ma anche mille metri tra quella tormenta erano tanti. I primi cento metri vennero affrontati con impeto; in testa c'era una guardia, poi venivano i prigionieri, i civili, e, per ultimi un paio di ferrovieri. Ma ben presto il gruppo si scompose; la guardia lasciò il primo posto a un prigioniero che aveva ancora il cappello d'alpino; i prigionieri si frammischiarono ai civili e i due ferrovieri incitavano quelli che restavano indietro.

La tormenta faceva mancare il respiro e la neve pungeva la pelle scoperta del viso e delle mani; qualcuno scivolava e cadeva, delle donne si aggrapparono ai prigionieri, uno prese in braccio un bambino. Un prigioniero ogni tanto girava le spalle al vento per respirare profondo e incitare i compagni: in questa situazione si sentiva allegro, gli sembrava di essere ritornato libero perché guardie di scorta e civili erano nella sua medesima condizione. Anzi, lui stava meglio perché non aveva assolutamente nulla da perdere: né bagagli, né cibo, né treni, né appuntamenti o coincidenze; insomma dopo tanti mesi di dura prigionia e di tanta fame l'avventura del treno, delle valanghe e ora della tormenta per una montagna sconosciuta, gli aveva fatto ritrovare un sentimento di libertà, come quando affrontava un'ascensione. «Avanti!», gridava in italiano e in tedesco, «Avanti!», e ironicamente aggiungeva: «Viva la grande Germania! Viva Hitler! Viva Mussolini!»

Si fermò per vedere la sfilata di quei disgraziati flagellati dalla tormenta, li incitava e li spronava, rideva e lo prendevano per matto. Laggiú, staccati da tutti, gli sembrò di vedere due che avanzavano con grande fatica; cadevano, si rialzavano, si fermavano a riprendere fiato, barcollavano. Invece di proseguire con il gruppo ritornò indietro verso quei due e quando arrivò a sostenerli mentre stavano cadendo per una ennesima volta, vide che era una giovane donna ad aiutare l'uomo.

I due avevano ai piedi scarpe da città, lisce, e invece di cappotti invernali indossavano leggeri impermeabili e sul capo avevano legato un fazzoletto. Non avevano fiato per parlare o per chiedere aiuto e allora si prese l'uomo sulle spalle. Riprese a calpestare la neve e ad affrontare la bufera come avesse ritrovato, con la sensazione della libertà, una nuova forza. Ora anche la donna si era aggrappata a lui e camminò cosí fino a raggiungere gli ultimi del gruppo che stavano entrando nella baracca.

Erano arrivati tutti, gli ultimi con lui; si guardò attorno e li fece sedere su una panca appoggiata alla parete. Le guardie contarono i prigionieri e i ferrovieri controllarono i passeggeri. C'erano tutti e il piú era fatto.

Ora donne e ragazzi, vecchi, ferrovieri, guardie e prigionieri fraternizzavano e reciprocamente si aiutavano a levarsi la neve da dosso commentando l'avventura. Lí dentro era molto freddo e un paio di prigionieri provvedevano ad accendere la grande stufa di lamiera con legna e carbone che avevano trovato in un angolo. L'uomo e la donna che erano stati aiutati dal prigioniero italiano restavano seduti immobili sulla panca e non parlavano; l'uomo teneva la mano della ragazza e gli occhi, dietro gli occhiali molto spessi, sembrava guardassero lontano, oltre la porta. Ambedue erano giovani, dai lineamenti molto delicati e molto somiglianti tra loro; forse erano fratelli, e vestiti con una certa ricercatezza, ma non certo da inverno. Quando il tepore della stufa incominciò a farsi sentire i due si parlarono sottovoce, quasi bisbigliando. Ogni tanto la ragazza alzava gli occhi per cercare il prigioniero che li aveva aiutati e che ora, vicino alla stufa, fumava la pipa di maiolica che il vecchio gli aveva porto dopo averla caricata di tabacco. I due giovani parlarono ancora piú animatamente, la ragazza a un certo punto si alzò e andò a chiamare il prigioniero, lo prese per mano e lo accompagnò davanti all'uomo dicendo: «È stato questo soldato italiano; un prigioniero che lavora nella miniera di ferro».

L'uomo mise una mano nella tasca interna della giacca e levò un portasigarette d'argento con le cifre in oro e senza aprirlo e senza dire una parola glielo porse. Al prigioniero venne da sorridere e disse «no» con la testa e con la voce. «Dank! Eine sigarette», disse. Allora l'uomo aperse con difficoltà l'astuccio d'argento e oro e con la mano a dita aperte abbrancò tutte le sigarette che c'erano dentro porgendole con il braccio disteso.

Fu a questo punto che il prigioniero si accorse che quell'uomo non vedeva, che forse era completamente cieco, e gli venne una grande compassione che gli spense quel senso di euforia che aveva provato nell'affrontare la tormenta e che ancora assaporava con la pipa del vecchio e con il vecchio vicino alla stufa come fosse in un rifugio sulle montagne di casa. La ragazza gli disse: «È successo in guerra, accetti almeno queste sigarette». Allora le prese. Ritornò vicino alla stufa; la tormenta stava calando e, oltre i vetri della finestra, si incominciavano a intravvedere i profili delle montagne.

Parte terza

Quando l'inchiostro gelava

L'ufficio era all'ultimo piano di una casa tra le piú belle del paese, al piano di mezzo c'era la Pretura e al terreno l'Ufficio del Registro. In quegli anni l'inverno era sempre molto lungo e freddo anche perché non c'era tanto da mangiare e pochi erano i mezzi per il riscaldamento: le stufe che ogni mattina dovevamo ravvivare bruciavano legna di pino mugo che faceva piú fumo che fiamma. Per questo, da novembre a marzo, tutti gli impiegati, Capo Ufficio compreso, ci stringevamo nello stanzone del catasto per stare piú caldi e consumare meno combustibile. Nelle mattine di dicembre quando finalmente verso le dieci il ghiaccio alle finestre si scioglieva, attraverso i vetri potevamo vedere le cesene affamate che sui sorbi dietro la casa mangiavano avidamente le bacche rosse.

I pennini, intinti nell'inchiostro ferro-gallico, correvano lasciando il loro segno sui registri quasi centenari per scrivere lunghe file di nomi, i numeri di voltura, di repertorio, di registrazione: e poi Sezione, Foglio, Numero di mappa, Qualità e classe (sempre mi dava emozione il «pascolo con bosco d'alto fusto» perché allora la fantasia spaziava); e i redditi dominicali e agrari con lire e centesimi, e le superfici: ettari, are, centiare; tutto in bella calligrafia, nello scarico e nel carico della partita, con precisa corrispondenza a bilancio.

Cosí per tutte le mattine, per tutti i pomeriggi: dalle prime luci fino a notte fonda, e non si usciva a prendere un caffè e non ci si alzava dalla sedia per riscaldarsi le mani alla parete della stufa ma solamente per i registri dagli scaffali.

Il Capo Ufficio lavorava alle sue carte e noi alle nostre, per ore senza che nessuno fiatasse; qualche volta alzando gli occhi mi soffermavo ad osservare le cesene sui sorbi; oppure guardando la neve che cadeva al di là dei vetri ricordavo i compagni lasciati nella steppa russa sette anni prima. Ma ben presto mi sentivo addosso lo sguardo del Capo Ufficio che non notava piú lo scorrere della mia penna e riprendevo a scrivere in bella calligrafia sui partitari del catasto.

Si faceva economia di inchiostro, di carta, di legna per riscaldarsi, di matite. Somme, bilanci, statistiche e situazioni venivano fatte tutte a memoria, manualmente, e al centesimo di lira per migliaia di cifre; al tempo dei ruoli per la riscossione del prediale il lavoro non aveva orario; per i calcoli delle tariffazioni si usavano delle tabelline fitte fitte di cento numeri con i decimali fino a nove cifre dopo la virgola. Per scrivere ai Superiori Uffici avevamo una vecchia *Invicta* che faceva il rumore di una mitragliatrice.

Una volta, era l'autunno del 1953 e lo ricordo perché il Titolare aveva scritto al Superiore Ufficio «*Oggetto: Avventizio di 3ª Cat. Signor Rigoni Mario - Assenza dal servizio. Si segnala che in data odierna il nominato in oggetto non si è presentato in Ufficio perché si è recato a Viareggio per ricevere un premio letterario. Tanto si comunica per i provvedimenti del caso. Con osservanza*» e mi levarono una giornata di paga e una di ferie, in quell'autunno, dopo giorni e giorni di somme e chiamate di numeri per il riscontro arrivammo alla fine di un bilancio di un ruolo con oltre mille ditte con la differenza di un centesimo: insomma la matricola dei possessori e il ruolo per la riscossione non bilanciavano! Per non rifare tutto il lavoro, dopo esserci consultati, decidemmo di caricare di nostra iniziativa quel centesimo di differenza sull'articolo del comune e quando venne l'Ispettore dicemmo che tutto era perfetto.

Ma con tanto scrivere sulle grosse pagine di «carta a mano uso pecora» pure i pennini si consumavano. Personalmente usavo i *Perry* inglesi perché avevano le punte molto dure; ma tutto il materiale l'aveva sotto chiave il Capo Ufficio nella sua scrivania. Un giorno, rispettosamente, gli chiesi un pennino per il ricambio; mi disse semplicemente: «Mi porti quello usato; prima di buttarlo voglio vederlo». Lui lo ripulí bagnandolo con la saliva, lo provò sull'unghia del pollice: «Potrebbe ancora andare, – disse. – E poi perché usa i *Perry* che costano il doppio dei *Presbitero*?»

Nel 1954 un sottosegretario, senatore democristiano di grande cultura umanistica che quando veniva in visita nel collegio elettorale faceva colazione o pranzo nei bar paesani intingendo un pane nel caffelatte, venne nel nostro ufficio perché desiderava conoscermi. Bussò e si presentò al Capo borbottando in dialetto il suo nome. «Ah, – disse questo, – lei è l'esattore di Lusiana? Cosa desidera?» «Veramente, – rispose il sottosegretario, – sono il senatore Giustino Valmarana e vorrei parlare con un suo impiegato».

Grande fu l'emozione del Capo Ufficio; arrossí violentemente, balbettò delle scuse, inciampò nella sedia per venirmi a chiamare.

Il senatore volle sapere come era nato il mio libro, di Elio Vittorini e del gruppo degli scrittori einaudiani dei «Gettoni». Parlava sempre in dialetto e poi mi invitò a bere «...uno spriz, anca se penso che lu no votarà mai par mi...» Mi scusai dicendo che avevo un lavoro da terminare e restò un po' male, ma aggiunse se giú a Roma c'era qualcosa che potesse fare per me... Lo ringraziai ancora e dissi che non avevo bisogno di niente, che stavo bene cosí: avventizio di terza categoria addetto al servizio catastale. Mi salutò con affetto e il Capo Ufficio lo accompagnò fin sulla strada. Quando ritornò mi richiamò nel suo ufficio, con il campanello questa volta, rimproverandomi perché non avevo chiesto all'Eccellenza una macchina per scrivere nuova, un armadio per l'archivio e due sedie di faggio curvato tipo Vienna. E poi non sapevo che lui aveva ancora da avere il rimborso di duemilasettecento lire che aveva anticipato per le spese d'ufficio?

Le cose incominciarono a cambiare quando un giorno arrivarono trenta quintali di stampati che avrebbero dovuto dare avvio a una riforma tributaria fondata sull'anagrafe dei contribuenti. Il Capo volle sul suo tavolo una copia di ogni modello e con la circolare illustrativa del Ministero di cui avevo accusato ricevuta assicurando preciso adempimento, incominciò a studiare il problema per illustrarci poi il nuovo lavoro che avrebbe dovuto cambiare il sistema tributario.

Ogni quindici giorni bisognava dare una relazione, ogni mese un Ispettore chiariva dubbi, incitava o indirizzava il nuovo lavoro. In sei mesi la cosa morí di sua morte naturale; forse era cambiato il Ministro; forse le tipografie avevano esaudito le richieste degli onorevoli e i quintali e quintali di modelli di ogni colore e formato presero con fatica la strada del sottotetto dove avevo scoperto un piccolo deposito di munizioni calibro nove lungo dimenticato da un partigiano che lassú si era rifugiato nel 1944.

Capii che le cose andavano ancora peggio quando ci arrivò un mobile porta mappe il cui buono di carico segnava una cifra piú alta del suo valore che con rabbia trascrissi sul registro-inventario dei beni immobili; quando in catasto venne un falegname paesano gli chiesi per quanto me ne avrebbe fatto uno uguale: lo misurò, lo guardò ben bene, fece alla mia presenza i suoi calcoli con carta e matita e mi propose una cifra della metà esatta di quella registrata. E questi mobili erano stati forniti per tutti gli uffici d'Italia facenti parte della nostra Amministrazione.

Passavano gli anni, le denunce *Vanoni* si accumulavano in ogni angolo, arrivarono macchine per il calcolo, ma una mattina con la posta mi vidi restituire una «situazione modello C e D Tributi Speciali» perché non avevo indicato nella cifra finale la terza parte di una lira; sí, me le restituirono per quei trentatré centesimi che avevo azzerato di mia iniziativa. Un paio d'anni dopo me ne andai in pensione.

Un partigiano nell'archivio

Quando ogni mattina mi recavo in ufficio prima di entrare in quella grande casa che dà sulla piazza della chiesa guardavo l'orologio del campanile; molte volte Titta, il quasi novantenne campanaro sordo che sovraintendeva a tutti i riti e a tutti gli orari della comunità, mi faceva cenno d'affrettarmi. Ma sempre, anche, con una breve considerazione intima mi soffermavo a guardare le insegne degli Uffici Governativi dove lo scudo sabaudo e la R. di regio erano stati verniciati di nero durante la repubblica di Salò e i fasci laterali cancellati con una mano di minio dopo il 25 aprile 1945.

Ma se anche avevano cancellato quelle R., quei fasci, quegli stemmi sabaudi dalle insegne, dai bolli d'ufficio, dal bollo della franchigia postale, emblemi simili restavano pur sempre sui vecchi stampati che nel polveroso e buio deposito si ammucchiavano da decenni: crollavano regimi, monarchie e governi, si vincevano o si perdevano guerre e colonie, ma la burocrazia resisteva tenace a tutto. Come la gramigna lungo lo steccato che mi circondava l'orto.

Un'altra cosa ancora, però, mi attraeva lo sguardo quando andavo in ufficio. Prima di iniziare la rampa delle scale in fondo all'andito sul cemento lavorato a piastrelle c'era un piccolo buco frastagliato a raggiera, come fatto dalla punta di uno scalpello da muro battuto energicamente con il mazzuolo. Ma non cosí era avvenuto, e la storia me la feci raccontare dalla anziana signora che puliva gli uffici e accendeva le stufe, che qualche volta si attardava con un vecchio amante o con un fiasco di vino.

Ma andiamo per ordine. La casa, quasi un palazzo che un facoltoso avvocato aveva lasciato a una distinta attrice che gli era stata amorosa, aveva al piano terreno l'abitazione della custode e l'Ufficio del Registro, al primo la Pretura, al terzo l'Ufficio Distrettuale delle Imposte Dirette e Catasto; ma su al terzo piano c'era pure un appartamento con tendaggi, mobili, cuscini e lampade liberty che la distinta e ormai vetusta attrice veniva ad abitare una volta all'anno, quando la calura le rendeva Venezia insopportabile.

Nel 1944, al seguito del governo della repubblica sociale, giunsero quassú pure dei funzionari o alti burocrati ministeriali e l'appartamento della bella attrice a riposo venne requisito per uno di questi; e ben presto divenne salotto dove ogni tanto si incontravano ufficiali tedeschi, comandanti di brigate nere e cappellani della guardia nazionale repubblicana. Insomma era un buon posto per avere notizie ai fini della guerra partigiana, e siccome questi signori cercavano una fantesca per le faccende di casa, i mille rami sotterranei della clandestinità fecero sí che la ragazza di un partigiano venne assunta dal gerarca che era scappato da Roma.

Lei non era nostra compaesana, veniva da una valle vicina dove la reazione fascista si era fatta particolarmente sentire in feroci rastrellamenti. Lui, il suo ragazzo, scendeva di notte alla data convenuta dalle montagne piú alte eludendo posti di blocco e pattuglie, s'infilava nel portone della Pretura, saliva le scale buie e nelle ore antelucane, quando lí dentro tutti dormivano per alcol o per morfina, si infilava nell'appartamento dove l'amata lo attendeva al segnale concordato. Qualche volta si attardava, e allora non gli era possibile attraversare il paese in pieno giorno per ritornare tra i compagni; in questi casi la ragazza lo faceva salire per una botola nell'ampio solaio della casa da dove, per un'altra botola, scendeva a rifugiarsi nel buio deposito dell'archivio e degli stampati dell'Ufficio Imposte e Catasto.

Lí si era come scavato una nicchia tra pile di stampati e registri catastali.

Un giorno dell'inverno 1944-45, di quel durissimo inverno arrabbiato e affamato per tanti di noi, qualcuno sospettò qualcosa, o qualcuno parlò, e al partigiano innamorato venne tesa un'imboscata. Quella sera nevicava fitto, a bufera, ed era una cosa buona perché le tracce venivano cosí subito cancellate.

Furtivo come un gatto (El Gato era anche il suo nome di guerra) s'infilò nell'androne del palazzo, ma, come giunse all'attacco della scala, venne a trovarsi sotto il tiro del brigata nera che da ore l'aspettava sul pianerottolo della Pretura, due rampe di scale piú su. Per fortuna la raffica che doveva centrarlo non partí perché dopo il primo colpo il mitra si inceppò; la pallottola gli sibilò tra le gambe e andò a schiacciarsi sul pavimento. Il Gato fece in tempo a dileguarsi nel buio e nella neve perché invece di scappare per dove era entrato infilò il portoncino che dava sull'orto retrostante la casa e che per precauzione la ragazza non chiudeva a chiave. Nell'orto si arrampicò su un sorbo, saltò nella neve alta al di là del recinto e per far perdere le tracce corse tra le cataste di legname e di tavole di una segheria, a giravolte, ritornando sui suoi passi, incrociando, proprio come fa il lepre per confondere i segugi. Prese infine la strada del bosco, e anche la ragazza quella stessa mattina sparí dal servizio dell'alto funzionario.

Quando finí la guerra e la festa grande di quella primavera, i due innamorati partirono per l'Australia dove dei parenti che erano laggiú da trent'anni garantivano il lavoro. Il funzionario o gerarca che fosse ritornò e scomparve nei meandri dei Ministeri romani.

Un anno dopo i fatti raccontati, in un pomeriggio uggioso quando le pratiche o le contabilità, o le statistiche ad uso dei Superiori Uffici fanno sembrare tutto opaco e grigio, decisi di reagire alla noia entrando nel buio ripostiglio dell'archivio. Era un luogo dove nessun impiegato amava entrare perché una infiltrazione dal tetto allo scioglimento delle nevi e una perdita del camino avevano annerito e incrostato tutti i fogli che avevo steso a protezione degli antichi registri.

La scusa presso il Capo Ufficio era che dovevo controllare la scorta degli stampati prima della formazione dei ruoli per la riscossione, per sapere cosa mancava e quindi cosa dover richiedere entro il primo bimestre del semestre al Magazzino Stampati di Stato presso l'Intendenza di Finanza competente per il Compartimento. Invece era perché in quel pomeriggio uggioso avrei provato sollievo nello sfogliare i registri del Catasto di Maria Teresa, come in un libro intonso e difficile, leggere le partite catastali intestate alle comunità o agli antenati e cercar di capire i valori delle superfici e dell'estimo.

Scopersi, invece, il rifugio di Gato. Dietro una pila di registri e di stampati fuori corso c'era una nicchia con un mozzicone di candela, delle briciole di pane e, sul pavimento di tavole, una manciata di cartucce calibro 9. Mi incuriosí anche una scatola coperta di fuliggine: sotto uno strato di modelli 9/A e 9/B c'erano i quadri con i ritratti in grande uniforme del re e del duce e, sotto questi, una bandiera tricolore ben ripiegata. Ma quello che piú mi sorprese fu quella che mi sembrava una lettera d'amore scritta con una matita copiativa su un Mod. 2/Ter. Le parole erano diventate quasi tutte illeggibili, ma l'ultima riga era stata ripassata con la copiativa inumidita e si poteva leggere: «Viva gli'italia Libera – Viva l'Amore – Firmato El Gato».

Quando uscii per ritornarmene a casa, guardai con occhi nuovi il buco della pallottola ai piedi della scala; sulla strada, poi, c'era ad aspettarmi impaziente il vecchio campanaro sordo che mi conosceva da bambino: voleva che andassi a suonargli la campana per il transitus di un nostro vecchio che abitava in una contrada.

Imbroglio al Catasto

Al sabato, giorno di mercato, anche per l'Ufficio del Catasto era giornata di grande lavoro, ma l'affluenza della gente del Distretto era anche regolata dalle condizioni atmosferiche o dalle stagioni dei lavori. Di solito era d'inverno, o d'autunno quando pioveva, che i contribuenti delle montagne intorno trovavano il tempo per venire a farmi scartabellare registri e partitari al fine di controllare le cartelle del prediale, o le variazioni di ditta, o le superfici che poi sempre volevano tramutate nella misura locale e non sentirle in ettari are centiare; o a guardare sulle mappe i diritti di passaggio, o le corti comuni (molte volte oggetto di liti); o a chiedere i certificati per risarcimento danni di guerra, pensioni, emigrazione, per il fido nelle banche, per i mutui della piccola proprietà contadina, per il Piano Verde, per gli assegni familiari.

Per i *certificati storici*, invece, bisognava risalire indietro nel tempo per almeno trent'anni, o all'impianto del Catasto; ma per scoprire eredità o diritti remoti qualche volta sfogliavo il «Vecchio Catasto» o, addirittura, il «Catasto di Maria Teresa», là dove superfici e redditi fondiari hanno altre unità di misura come *pertiche* e *soldi*, e gli atti traslativi altre procedure.

Eppure era fantastico leggere nei grandi libri rilegati in pelle, dove sulle pagine in carta uso pecora le lettere dell'alfabeto e i numeri sono scritti in bellissima calligrafia corsiva e i cognomi e i nomi si ritrovano indietro nei secoli alternandosi nelle generazioni da nonni a nipoti; e poi quelle antiche parole come *zerbido*, *zappativo*, *pascolativo* che stanno scomparendo anche dai vocabolari.

Una certa emozione provai un giorno quando lessi i nomi dei miei antenati, intestati su delle proprietà agresti oggi ricoperte da seconde case di villeggianti, e la firma di un mio trisavolo Commissario Censuario del Dipartimento del Bacchiglione ai tempi della Repubblica Cisalpina, quello stesso che poi divenne Imperiale e Regio Commissario Distrettuale sotto Francesco I d'Austria e Francesco Giuseppe.

Venivano dunque a piedi, o con la corriera se avevano i soldi per il biglietto, o con la slitta e il cavallo che poi legavano agli anelli infissi nella muretta dei bagni pubblici. Entravano in Catasto con il cappello in mano e salutavano dicendo il mio nome. Ma se c'erano quelli che venivano per necessità vi erano altri o altre che attaccati in maniera quasi morbosa alle loro proprietà mi facevano perdere tempo e pazienza in richieste e controlli assurdi; come quella vecchia che due volte all'anno ci aspettava davanti alla porta dell'ufficio, entrava con noi, si levava le scarpe per restare piú comoda e sfogliava e sfogliava tutte le pagine dei registri partitari del suo Comune, fino al momento della chiusura; o quelle cinque sorelle nubili che sovente capitavano a prendere misure e note perché sempre in lite con i vicini.

Ma generalmente, da come i contadini piú poveri si presentavano, per la cadenza del dialetto o per il modo di vestire, capivo il paese o la frazione da dove provenivano; con gli anni imparai le fisionomie delle famiglie come quelle del mio paese, e cognomi e soprannomi, e affari e interessi quasi come un confessore.

Insieme guardavamo i fogli delle mappe dove i fabbricati rustici e urbani, le particelle di terreno, le corti, i pozzi, i passaggi hanno ognuno un numero da dove, attraverso il prontuario, si risaliva alle ditte intestate nei partitari, o alla descrizione dei diritti qualità e classe della tavola censuaria. Ma con il passare degli anni, quando venni promosso Applicato dei Ruoli Aggiunti, e ancor piú con la pratica, come mi dicevano la cosa che li interessava, a memoria individuavo Comune, Sezione, Foglio o Allegato su foglio distinto.

Ma erano di solito sempre i meno abbienti che quando mi incontravano volevano offrire un bicchiere di vino all'osteria per qualche pratica sbrigata in fretta, o quando andavo a caccia dalle loro parti mi donavano sei uova perché avevo dato consiglio sulla maniera di fare testamento, o una ricotta perché su un pezzo di carta da lucido avevo indicato una misura tra confine e confine. E non potevo rifiutarmi di accettare, perché la prendevano come un'offesa alla loro povertà. Dicevano: «Non ti degni?»

In Catasto capitavano gli emigranti che erano tornati dall'estero per una breve parentesi paesana, nelle ferie d'agosto la gente che era andata a lavorare nelle fabbriche delle città, le guardie forestali, i carabinieri, i tirapiedi dei notai, i sensali, i geometri e i faccendieri. Un giorno un vecchio canuto dalle mani callose e dure – seppi che veniva dalla Francia –, mi fece scartabellare per pagine e pagine indietro negli anni dove alla data del 1908 era registrata una piccola proprietà senza reddito (per questo non era iscritta nei ruoli della riscossione); era un «rudere di fabbricato rurale con diritto alla corte n... e al pozzo n...» sito in una località fuori mano sull'orlo di una roccia sopra il Canale del Brenta dove un tempo coltivavano il tabacco da contrabbandare. La ditta intestata era di sette fratelli e di questi sette il piú giovane era lui che aveva passato gli ottant'anni. Lessi i nomi di tutti chiedendo spiegazioni per poi poterle dare: i sette fratelli erano nati da madre boema in sette Paesi differenti che andavano dalla Slesia all'Ungheria, e in remoti paesi erano morti e forse dimenticati. Lui, unico superstite, si ricordava bene di uno, il sesto, che era morto in Anatolia costruendo ferrovie.

Verso la fine dell'estate, quando da noi si sfalcia per la seconda volta, venivano le madri a fare la pratica per chiedere la licenza agricola dei figli soldati negli alpini. Ma piú che lavorare il fieno sui prati la licenza serviva a procurare la legna nei boschi della comunità al fine di passare l'inverno. A rigore delle disposizioni, per l'esiguità della proprietà fondiaria delle famiglie, e quindi di particolare povertà, a ben pochi era possibile la concessione della licenza e in qualche raro caso che ritenevo giusto, attestavo il falso aggiungendo uno zero al totale delle superfici che dovevo trascrivere sul certificato; cosí un ettaro diventava dieci, o sei are sessanta.

Ma questo non lo dicevo a nessuno, nemmeno agli interessati che con ettari are centiare facevano confusione. Su un foglietto che nascondevo nel cassetto segnavo poi la memoria che mi serviva quando l'appuntato dei carabinieri veniva per il controllo, e siccome pure lui con i registri e le superfici aveva poca confidenza e voleva il mio aiuto, mi era facile far quadrare le cifre. Cosí facendo i miei conterranei di leva potevano venire in licenza per dieci giorni e quelli di casa avere la legna per riscaldarsi, se proprio non avevano abbastanza companatico da accompagnare alle patate. Pensavo anche, per tranquillizzare la mia coscienza di Applicato dei Ruoli Aggiunti e di ex sergente, che le esercitazioni estive, il campo mobile e il corso roccia erano terminati, che le ore della caserma sono lunghe e noiose, e che la patria non sarebbe stata in pericolo per questa mia mancanza.

L'Ispettore Superiore

Nel giorno che seguiva quello del termine ultimo e inderogabile per la presentazione della Dichiarazione Unica, l'Ufficio Distrettuale sembrava un campo dopo la battaglia: registri partitari e matricole dei possessori giacevano in disordine sull'ampio tavolo del catasto, fogli di carta con appunti erano sparsi sul pavimento e per le scale, i posacenere erano ricolmi di mozziconi di sigarette, pile di *dichiarazioni Vanoni* divise in *fisiche* e *collettive*, blocchetti di ricevute Mod. 8, matite copiative. E in tutto questo, ancora qualche ritardatario metteva avanti la testa dalla porta e con fare fra il timido e il finto tonto diceva: «Posso? Ieri sera ho trovato chiuso...»

C'erano dei capi ufficio che tolleravano anche un giorno o due di ritardo, ma ne ho avuto uno che ogni sera metteva la firma e il bollo dopo l'ultima ricevuta, e questo, diceva lui, era per evitare contestazione nei termini e non permettere tolleranze amichevoli nei confronti dei paesani da parte di qualcuno di noi.

Ai fini statistici, prima con telegramma e poi con un *biglietto urgente di servizio* che doveva partire con la prima corriera, si comunicavano ai Superiori Uffici i dati numerici delle dichiarazioni pervenute che dopo qualche giorno comparivano sulla stampa quotidiana con le osservazioni ministeriali e i commenti degli specialisti. Si parlava della coscienza dei contribuenti, dell'aumento dei redditi dichiarati, del lavoro di recupero che si sarebbe fatto nei confronti degli evasori, della sproporzione o disparità tra i redditi dichiarati in cat. C/2 (prestatori d'opera) e quelli di cat. B o C/1 (imprenditori, commercianti, professionisti). Proprio come si dice oggi, dopo venticinque anni.

Ma per noi, manovali dello Stato, quei rilievi statistici ci portavano un lavoro assillante e senza respiro; per un caffè al bar non si poteva perdere tempo e mi portavo un piccolo termos da casa.

Vi era un gran daffare per registrare in un grosso librone adattato al caso tutti i dati richiesti: ditte fisiche, ditte collettive, n. del Mod. 8, data di presentazione, nome o ragione sociale, quadro A, quadro B, quadro C, eccetera; redditi soggetti a imposta, redditi esenti, detrazioni, totali e piè di pagina, riporti, totali generali e cifre da riportare negli specchietti delle situazioni. Nel giro di pochi giorni, per decine di migliaia di numeri, in fretta e con precisione perché poi i conti dovevano tornare con i precedenti e i successivi.

Dopo tutto questo lavoro – ma sarà cosí anche oggi? – bisognava mettere insieme *fisiche* e *collettive*, dividerle per comune, in ordine alfabetico, d'imposta, collazionarle con i dati catastali e, finalmente, scrivere ditte redditi e imposte nei ruoli principali o suppletivi a conguaglio. Poi ancora statistiche fino al fatidico Mod. 177 che il nostro Capo Ufficio compilava personalmente dai riepiloghi dei ruoli che noi impiegati d'ordine gli passavamo a mano a mano che il lavoro procedeva.

Era, questo Mod. 177, il termometro degli Uffici Distrettuali delle Imposte e in esso veniva esposto il gettito erariale di tutti i tributi. La lettera d'accompagnamento veniva fatta e rifatta piú volte dal nostro Titolare, finché gli sembrava di avere trovato il tono giusto per far risaltare la percentuale d'aumento, orgoglio di tutto il suo lavoro. La batteva pure personalmente a macchina, io la protocollavo e leggevo «con perfetta osservanza» prima della firma con svolazzo finale. Ma alla posta la portava personalmente lui!

Il primo anno che vi fu la meccanizzazione dei ruoli successero degli inconvenienti per le tante omonimie e i nomi uguali di vie nelle frazioni dello stesso comune, cosí al pagamento della prima rata venivano tutti al Catasto per districare i tanti casi di cartelle esattoriali erroneamente attribuite. Ma anche, con la meccanizzazione, capitarono errori come questo che vi dirò.

Nella contrada abbandonata di un paese periferico abitavano delle povere donne che vivevano di pubblica elemosina, ma erano proprietarie di una casetta che pure loro dovevano dichiarare con la *Vanoni* poiché, secondo la legge, l'imposta immobiliare colpisce il bene e non le persone. Rilevando dalla cartella esattoriale i dati per la loro Dichiarazione Unica queste donne sole non seppero tener conto dei due zeri che la macchina aveva aggiunto a ogni cifra forse per motivi tecnici, sicché invece di *mille* copiarono e scrissero *centomila* sottofirmando e datando.

Tutto in regola. Ma quando arrivò il momento di pagare si trovarono di dovere all'Esattore trentamila lire invece di trecento. Non se ne curarono, per loro era una cifra iperbolica, forse cosí tanto non valeva nemmeno la loro casetta, e quando dopo aver chiesto l'elemosina per mettere insieme le trecento lire per il tributo e si presentarono allo sportello della banca, piú che loro rimase di stucco l'impiegato.

In un certo senso ero io il responsabile per le imposte fondiarie e il Collettore venne subito a parlarmi del caso. Era un bel guaio: i termini di tempo per un ricorso erano trascorsi, non si poteva nemmeno parlare di *errore imputabile all'Ufficio* in quanto le cifre corrispondevano; l'Esattore poi, si sa, deve versare anche se non ha riscosso; dalle tre poverelle trentamila lire non si potevano avere neanche a pensarci; e nemmeno noi impiegati in quei tempi potevamo pensare di fare una colletta. Nemmeno al Capo Ufficio potevo parlare per cercare una soluzione a questa ingrata faccenda perché dal punto di vista amministrativo e legale tutto era ineccepibile. Intanto convinsi il Collettore di sospendere la riscossione e di soprassedere a ogni atto esecutivo, promettendo che ne avrei parlato al signor Ispettore Superiore.

Quando l'Ispettore venne per la consueta visita mensile

chiesi un colloquio per motivi personali e il Capo Ufficio quando ci lasciò soli mi guardò con fare sospettoso. Gli spiegai la vicenda nei minimi particolari e con la documentazione: «Falsificando le carte e le date, – gli dissi, – potrei istruire una pratica per lo sgravio ma desidero che lei lo sappia; capirà anche che non posso dire queste cose al Capo Ufficio che ragiona soltanto in base alle circolari».

L'Ispettore Superiore mi guardò serio serio e in silenzio. Aspettavo una risposta che stentava a venire. «Io non ho sentito niente, – rispose infine, – non devo sapere niente di tutta questa storia. Perché viene a raccontarla a me che non posso far nulla?»

L'Ispettore non era certo come il famoso personaggio del racconto di Gogol', oltre a essere preparato nel suo campo finanziario e amministrativo era anche un umanista perché tra le circolari, i Testi Unici e le Gazzette Ufficiali avevo intravisto che nella borsa aveva anche qualche libro di poesia. Ebbi il coraggio di insistere: «Quando visterà i rimborsi sappia che tra le pratiche ci sarà anche questa; e tutto formalmente sarà perfetto».

Non seppe trattenere un sorriso e poi brusco mi disse: «Ma se ne vada! Se ne vada a riprendere il lavoro e non mi faccia perdere tempo!»

Parte quarta

Bizzarrie di stagione

Un inverno cosí non lo ricordavo, forse ce n'era stato uno simile ventisette anni fa; ma dopo aver parlato con i nostri anziani ho saputo che nemmeno loro ricordavano le api che a gennaio raccoglievano polline e nettare. In questi giorni neanche di notte la temperatura è scesa sotto lo zero, mentre normalmente, a gennaio, si arriva come media notturna a −18°.

A novembre avevo impagliato e coperto le arnie; raccolto nel bosco vicino a casa la legna minuta e secca che, ogni mattina, appena mi alzo, mi serve per accendere il fuoco; avevo anche levato dalla terra le carote, i sedani e raccolto le ultime verdure per conservarle in cantina, come mi aveva insegnato lo zio Barba quando ero ragazzo.

Avevo anche levato gli sci dai supporti appesi sotto il soffitto; non gli sci leggeri e da competizione con sopra stampate le medaglie olimpiche vinte dalla marca, ma quelli finnici con sulla punta il goffo orso, un poco piú larghi e solidi, da camminare per i boschi fuori pista; e dopo aver controllato gli attacchi e incerate le scarpe, avevo anche ispezionato la cassetta delle scioline soffermandomi a contare i tubetti di *polar*, quella speciale da usare con temperature inferiori a −25°. Infine, davanti all'uscio di casa, misi in bella mostra la pala da neve.

Tutto questo tra una lettura e l'altra, lettere cui rispondere, pagine bianche da riempire di parole. Ogni mattina, con la nocca dell'indice, battevo sul barometro appeso al muro esterno per vedere in che senso si spostava la lancetta della pressione atmosferica, osservavo il termometro e la direzione del fumo dei camini: tutto mi indicava tempo bello, costante, secco. E non passavano beccacce, non arrivavano le cesene, non sentivo i frettolosi richiami degli uccelli di passo che certo avevano preso altre strade; sulle cataste di legna non vedevo scriccioli o pettirossi, e sui larici dietro casa si posava solo qualche rara coppia di crocieri o di ciuffolotti.

E i boschi erano talmente secchi che sarebbe bastata una piccola favilla per provocare un grande incendio; e quando dopo mangiato andavo a camminare per qualche chilometro lungo la valle con il mio cane Ast, dovevo mettermi gli occhiali per proteggere gli occhi dalla polvere che scendeva dagli alberi mossi dal vento del Nord.

Venne un po' di neve prima di Natale, ma proprio poca; che, se per i villeggianti dava un'illusione festiva e la soddisfazione di rovinare la soletta degli sci sulle pietre che affioravano, personalmente non mi lusingava per il pensiero di rompermi una gamba. Cosí dopo Capodanno la neve era stata tutta consumata dagli sciatori cittadini, che pure riempivano il reparto di ortopedia. Gli impianti si fermarono e i maestri di sci rimasti disoccupati andarono nel bosco a far legna; quindi si chiusero anche gli alberghi perché vennero disdette le settimane bianche, e i negozi misero in vetrina le svendite di abbigliamenti e articoli sportivi. Restavano da pagare fornitori e personale.

A metà gennaio camminavo per le montagne come fosse settembre: mancavano soltanto i colori autunnali; e un giorno ritornai a casa con un mazzo di erica fiorita. Con la fioritura delle eriche le api si mossero e in uno dei passati giorni, lavorando con la finestra aperta come si fosse in aprile, sentii il loro volo e mi alzai dal tavolo.

Non era un volo di spurgo, ossia quello che d'inverno

fanno una volta ogni tanto per scorporare fuori dall'arnia, ma un volo di raccolta perché appena si staccavano dal predellino andavano dirette verso il bosco a est, dove erano fiorite le eriche e sbocciati gli amenti del salicone. Sceso ad osservare, constatai che ritornavano alle loro case cariche di polline.

Non so ancora se questa raccolta fuori stagione sarà un bene o un male, perché se le regine, come suppongo, incominceranno a deporre le uova e se nelle prossime settimane arriverà davvero l'inverno, le famiglie si troveranno a mal partito con larve e pupe da nutrire. E a nutrirle artificialmente mi sarà difficile perché diventerebbe troppo rischioso levare i ripari invernali.

Anche gli animali del bosco hanno avuto un comportamento analogo. Le lepri sono andate in amore prima del tempo e già hanno partorito i loro piccoli; tutto il loro territorio era sgombro e sui prati esposti a mezzogiorno uscivano al tramonto per mangiare i verdi germogli dell'aglio selvatico. Anche i caprioli hanno rotto i branchi e gironzolano per i boschi senza le difficoltà causate dalla neve; pure le volpi la fanno grassa perché le loro defecazioni dimostrano che non hanno crisi alimentari; quest'anno persino gli scoiattoli ignorano il pane che ogni inverno infilo tra la forcella di un abete, e l'urogallo dei Kheldar non si ciba di foglie d'abete bianco, ma di germogli freschi che ho visto spuntare nel sottobosco.

Ieri pomeriggio, però, un branchetto di cince si era posato a beccolare le briciole dove il mio cane è uso ogni mattina mangiarsi il suo pezzo di pane secco. E questa notte ho fatto un sogno non proprio strano: le mie arnie erano sistemate tra le gambe di una mandria di vacche e io cercavo di postarle con le aperture verso sud. Anche una famiglia che avevo considerato morta si era messa alacremente al lavoro, sí che le api passavano allegre tra le gambe e le mammelle gonfie di latte delle vacche. Poi mi trovai a camminare in mezzo ai prati e questi erano talmente coperti di fiori melliferi che non c'era posto per altre erbe; su questo tappeto di fiori: miosotidi, ranuncoli, salvia dei prati, narcisi, tarassachi, le api volavano numerosissime e operose nella raccolta, tanto che l'aria era piena del loro ronzio e densa di buoni odori.

Questa mattina l'alba entrò nelle mie stanze con luce diversa, ma io sapevo da dove proveniva. Pensavo a quando quarant'anni or sono aspettavo questa luce camminando con un gruppetto di compagni per le pianure dell'Ucraina. Affacciandomi alla finestra vidi un pettirosso tra i rami del ciliegio selvatico; i prati e i boschi erano leggermente imbiancati e un leggero pulviscolo scendeva dal cielo lattiginoso.

Fretta di primavera

Era dal principio del secolo che a ogni primavera, al sabato, saliva dalla vicina pianura a vendere le semenze e poi, dopo la semente, le pianticelle che lui faceva crescere per noi nei suoi orti prima del trapianto nei nostri, dove la neve sempre stenta ad andarsene. Da ragazzo, ricordava mio padre che gli era coetaneo, veniva quassú con suo padre trasportando la merce con un mulo, e ora c'è suo figlio che sale con un camioncino; cosí sulle nostre terre di montagna, che già la guerra sconvolse, la vita e il lavoro degli uomini proseguono con pazienza, e, in certi momenti, malgrado tutto, serenamente.

Ma fino a quando? Sempre di piú sono gli orti abbandonati alle ortiche e sempre piú disordine si nota attorno alle case della gente perché è molto piú semplice andare a fare la spesa di ortaggi e frutta nei negozi-boutique dove fanno bellissima apparenza verdure insapori, o entrare in certe sofisticate fiorerie dove luci multicolori e zampilli d'acqua trasfigurano i fiori che poi portati in casa durano poche ore. Tutto questo perché è sempre meno faticoso che piegare la schiena e mettere le mani nella terra; come l'aprire una scatoletta è piú facile che fare una minestra.

Un sabato della primavera del 1981 fu l'ultimo che il novantenne Enrico venne a proporci le sue sementi. Era, lo ricordo bene, un giorno freddo, in cui la pioggia si alternava alla neve, ed io, malgrado il tempo poco favorevole, pensavo di proseguire le semine e la piantagione appena la terra si fosse un poco prosciugata (in montagna, questo, avviene in fretta). Anche il vecchio venditore di sementi quel giorno aveva freddo e, lasciato il banco al figlio e al nipote, si era ritirato al *Caffè Nazionale* dove andai a cercarlo per raccontargli i miei guai di ortolano un poco precipitoso.

Quell'inverno era venuta poca neve e cosí l'orto si era scoperto e sgelato piú in fretta di sempre; dopo aver concimato con il letame e rivoltata la terra non avevo aspettato la seconda luna buona d'aprile ma seminato con la prima i piselli, gli spinaci, i ravanelli, i bulbini d'aglio e cipolla che non temono il freddo notturno, e il prezzemolo che impiega piú di trenta giorni a germogliare, e il tutto avevo coperto con rami fitti d'abete perché cornacchie, fringuelli e merli non venissero a metterci il becco. Ma restavano ancora da seminare insalate, radicchi, bietecoste, fagiolini, zucchini, carote e le piantine di cavoli verza e cappuccio, i sedani e, naturalmente, le patate perché per quest'ultime sempre abbiamo aspettato la metà di maggio, quando arrivano le quaglie, per levarle poi mature nella prima quindicina di ottobre quando passano le beccacce.

Sorseggiando un bicchiere di vino raccontavo al vecchio ortolano del freddo e della neve d'aprile che avevano arrestato sul nascere la germinazione e del dispiacere che si prova nel vedere le foglioline bruciate dal gelo. Lui mi ascoltava in silenzio fumando il suo toscano ma ad un certo punto mi interruppe bruscamente rimproverandomi la fretta e la mia bramosia di primavera. Non sei piú un ragazzo, mi diceva, e certe cose dovresti ben saperle; qui non sei in pianura e il tuo orto è a piú di mille metri. Aspetta dunque sempre dopo San Marco per seminare, se qualche anno anticipi vedrai che quello che tu credi un vantaggio nella produzione diventa un danno. Rivanga tutto quello che hai già seminato e aspetta ancora quindici giorni.

Piú non disse su questo argomento e centellinando il suo vino volle raccontare di mio nonno.

Ma il vecchio Enrico aveva mille ragioni a rimproverarmi perché il fatto di volere un poco anticipare le semine delle verdure era solamente dovuto a un desiderio personale di aria primaverile rallegrata nel lavoro dal canto dei tordi e delle allodole, e questo è una forza che riesce a farmi abbandonare la mia stanza dove ancora tanti libri rimangono da leggere, lettere attendono risposta e quaderni la scrittura di un racconto.

Ma è cosí bello vangare interrando il letame stagionato e odoroso, livellare con il rastrello e levare con pazienza qualche radice di gramigna che vorrebbe attecchire, poi scegliere l'angolo giusto o il posto per ogni tipo di semente immaginando come sarà una volta cresciuta: bisogna sapere se ama il sole o l'ombra, l'umido o l'asciutto e dove la corrente d'aria in autunno le potrebbe essere di danno. A bene osservare ogni metro quadro d'orto ha il suo microclima. Occorre anche ricordarsi il luogo delle specie coltivate per alternarle ogni anno perché il posto delle carote, o delle cipolle, o dei piselli, delle insalate non deve sempre essere il medesimo; ogni verdura dell'orto, poi, preferisce un dato terreno piú o meno concimato e siccome il mio è formato da terreno forestale con humus da anellidi e ha la tendenza, se troppo bagnato, ad essere attaccato dal muschio, devo sapere regolarmi anche su questo.

Insomma anche per un piccolo orto di montagna è necessario sapere molte cose, e osservare e imparare con la pratica e sui testi; ho anche sperimentato che certe semenze, anche se certificate e selezionate, prodotte in climi temperati, non mi dànno i risultati della semente proveniente da climi piú rustici. È poi anche inutile volere coltivare certi ortaggi, come pomodoro o cardi, dove il clima non lo consente.

Un anno, nel posto piú riparato e solatio, avevo provato a coltivare delle piantine di pomodoro; le avevo anche protette, innaffiate, diradate; avevano anche prodotto alquanta frutta che, ancora verde, avevo raccolto prima dei geli e stesa in soffitta: no, erano proprio immangiabili, e certi prodotti è meglio lasciarli fare agli orti del Sud.

Personalmente non amo nemmeno le serre e i prodotti che vengono raccolti nelle serre. Che senso ha mangiare ravanelli a Natale, patate novelle a febbraio, meloni a maggio?

A meno di non essere talmente astratti come quel docente universitario che un giorno venne a salutarmi e dopo una saporita colazione non ricordava cosa aveva mangiato e bevuto. Nemmeno il congelatore uso; per i prodotti che raccolgo (verdura, tuberi, funghi, frutta, carne) uso per la conservazione i sistemi tradizionali che da mille anni dànno buoni risultati.

Amo questa terra e i prodotti della terra secondo le stagioni e il clima che la natura ci dà, e la cosa non è assolutamente monotona. Tutt'altro! E poi l'uomo vive meglio seguendo i ritmi circannuali e la biocenosi che gli è consueta, anche se è l'animale che piú di ogni altro si adatta ad ogni ambiente, nel bene e anche nel male.

Durante una missione nello spazio della *Columbia*, hanno portato lassú in alto tre pianticelle per studiare il loro comportamento in quasi assenza di gravità. Dicono che sono «impazzite». In otto giorni hanno sconvolto l'ordine del loro sviluppo: i diversi elementi del pino, avena e fagiolo cinese hanno preso orientamenti imprevedibili, e non solamente la parte aerea delle piante ma anche quella interrata: il cinquanta per cento delle radici sono uscite dal suolo verso l'alto. Gli esperti della Nasa dicono che le piante verdi aiuteranno gli equipaggi destinati a rimanere a lungo nello spazio. Ma che cosa penseranno nel vedere cosí sconvolto il regno vegetale? Non solamente Enrico, il vecchio novantenne venditore di semente, resterebbe perplesso.

Le piogge della tredicesima luna

Meteorologi alla televisione, previsioni del tempo sui giornali spiegano il perché e il percome i venti e le pressioni barometriche combinano il maltempo; ma un mio vecchio amico che faceva il pastore, semplicemente guarda il lunario appeso dietro la porta della cucina e mi spiega: «Siamo in ritardo di una luna, aspetta a mettere sotto le patate la prima deca di giugno». Gira i fogli del lunario a cominciare da gennaio contando le lune: «Vedi, quest'anno sono tredici, e poi siamo anche in un anno bisestile».

Mi spiega anche che la tredicesima luna, quella falsa, è venuta il due di marzo e tanti l'hanno presa per quella di primavera, sbagliando a seminare e a levarsi indumenti. «Sembrava, in un primo tempo, ma poi hai visto quanta neve è ancora venuta. E quest'anno le malghe dovranno caricarle almeno dieci giorni piú tardi».

Tredicesima luna o no, quest'anno si preannuncia nero perché, almeno da noi in montagna, le chiocciole non sono ancora uscite, le vipere non sono in amore e nel bosco ancora bruno appena ora fuoriesce il bianco farfaraccio; le betulle gentili e forti (pur apparendo cosí esili sopportano sbalzi termici di sessanta gradi e piú) hanno germogliato tenerissime sopra chiazze di neve sporca durante l'ultimo plenilunio, e i sorbi dell'uccellatore non hanno ancora messo le infiorescenze.

Anche gli uccelli hanno ritardato i canti, e i merli dal collare e le cesene sono nei boschi dabbasso. Anzi, quest'anno, forse, se la neve in alto perdurerà a lungo non saliranno a nidificare tra i pini mughi, ma a metà strada tra quote basse e fondovalle, nei solivi. «Molti non credono alla forza della luna, – continua il vecchio pastore, – ma ti posso assicurare che nascite e semine seguono la regola. E il taglio del bosco? I nostri commercianti di legname, quando dai Comuni comperano i lotti in piedi, aspettano la luna buona per far tagliare gli alberi. E la luna buona per il taglio è dopo il plenilunio, quando è in calare, perché in questo momento sono pieni di resina e il legno si conserva meglio e piú a lungo. Le tavole e le travi tagliate in una luna buona stanno piú ferme, non si svergolano. E sai perché? Perché con la luna in crescere gli alberi si muovono, ossia succhiano con piú avidità dalla terra».

Fantasia o scienza non lo so, ma ho provato qualche volta a bruciare nella stufa legna tagliata in cattiva luna: si consumava molto male, facendo tanto fumo e con poca fiamma; la bracia, poi, restava carbonizzata, non si consumava in cenere e il calore che ne veniva era poco.

Una sera di primavera in osteria si parlava dell'influsso della luna sulla vita delle piante e sul bosco. Un ispettore forestale che era arrivato di fresco e che voleva far tagliare il legnatico per uso civico senza tener conto di queste tradizionali esperienze, non voleva assolutamente credere agli influssi lunari e disse che avrebbe pagato una cena di selvaggina a tutti i presenti se si fosse con prove dimostrato la nostra teoria.

Alla sua presenza in periodo di luna cattiva, in crescere, da una ceppaia di faggio si tagliò un pollone; dalla stessa ceppaia in luna buona, in calare, si tagliò un altro pollone. I due tronchi, spaccati e segnati, vennero messi a stagionare nello stesso posto e al controllo di tutti. Quando venne l'autunno con le legne distinte si accesero contemporaneamente due distinti fuochi: la prova venne cosí evidente che l'ispettore forestale dovette convertirsi e pagare la scommessa.

Abbiamo avuto la luna di aprile, dunque, fino al trenta di maggio, e tredicesima luna in anno bisestile. Potete crederci o no, ma ho provato a seminare nell'orto senza tener conto di questo e anche tenendone conto: voglio vedere il risultato. Intanto è certo che il bosco e gli animali sono in ritardo sul calendario.

L'altro giorno, qui dietro la casa, stavano allestendo dei tronchi di abete divelti da una bufera invernale, ebbene: pur essendo in maggio la corteccia non si staccava dal tronco con facilità perché ancora la linfa non le correva sotto. Anche le squisite spugnole sono in ritardo, appena ora incominciamo a mangiare le prime nella frittata, e i germogli delle ortiche per il risotto potremo raccoglierli ancora per una quindicina di giorni.

E le api? Come vanno le api? Penso proprio che siano state anche loro tratte in inganno dalla tredicesima luna perché dopo che la regina aveva deposto le uova anche per far nascere fuchi, ora si trovano in difficoltà e li cacciano via dall'arnia. Certo, dipende dal tempo piovoso e freddo, ma anche per il ritardo della fioritura: eriche e crochi fioriscono ora, e il tarassaco è di là da venire; cosí ho dovuto mettere nelle arnie, fuori dal diaframma, dei telaini di miele che si era indurito e che per loro avevo provvidenzialmente conservato. Speriamo anche per le api in una lunga estate, che consenta un buon raccolto.

L'altra sera andando per il bosco con i miei pensieri mi è capitato di sentire piú volte gli sternuti e i colpi di tosse dei caprioli: ohi! ahi! Le pesanti nevicate di marzo e aprile ne avevano fatto morire parecchi, ne sono stati ritrovati i corpi tra bosco e prato; ma ora i sopravvissuti a causa di questo tempo freddo e piovoso manifestano con piú virulenza i sintomi di una malattia cagionata da un dittero, il *Cephonomya stimulator*, le cui larve si annidano nelle cavità nasali e nella faringe. Non deve essere certo piacevole per loro, bestiole selvagge ma pur delicate, sentirsi questi vermi nelle vie respiratorie, e cosí cercano di liberarsene tossendo e sternutendo con forza e rumore.

E se dovessero fare una corsa per difendersi da un cane randagio o da una moto da cross, si troverebbero in grande angustia, fino a morirne: coraggio caprioli, con la prossima luna molto probabilmente cambierà anche per voi; e poi sarà da sperare che quelli che pretendono di «scoprire e vivere la natura» non abbandonino nel bosco i rifiuti delle loro colazioni perché sembra certo che il *Cephonomya stimulator* tra questi rifiuti trovi la sua principale alimentazione quando è nello stato di insetto adulto.

Freddo, pioggia, temporali, nevicate sulle montagne piú alte fanno star male uomini e animali; ma anche il vento caldo e strano che è capitato dall'Africa ha portato forte depressione psichica ai viventi piú sensibili. Anche agli alberi? «È perché quest'anno abbiamo la tredicesima luna, – insiste il pastore, – ma vedrai che avremo un bell'ottobre lungo, piú lungo dei trentuno giorni segnati sul calendario».

I segreti di un grande formaggio

La tredicesima luna di questo 1984 ha influenzato negativamente l'alpeggio; certe malghe sono state monticate con un ritardo di oltre quindici giorni, altre, piú favorite, di dieci. Anche le greggi sono risalite in ritardo e i pastori, in attesa che la neve se ne andasse e l'erba novella si decidesse a crescere, hanno pascolato pecore e agnelle lungo i fondovalle o nelle radure, rosicchiando ai pascoli delle vacche.

Ora vacche e vitelle, pecore e agnelle, cavalle e puledri sono sui pascoli alti; ma anche lassú c'è poca erba perché al momento della ripresa vegetativa abbiamo avuto un tempo secco e freddo; anche stanotte, oltre i millecinquecento metri di quota, è brinato e la temperatura è scesa sotto lo zero. E l'altra settimana, dopo la prima burrasca estiva, anche quaggiú sui mille metri la brina ha bruciato le patate sui campi piú esposti.

Questo bizzarro clima ha portato i boschi a produrre abbondante melata: in alcuni giorni piú caldi i larici e gli abeti gocciolavano sostanze zuccherine, tanto che sui sassi e sui cespugli del sottobosco potevi vedere le gocce cristalline e dolci che davano grande lavoro alle formiche; sulle chiome degli alberi, dall'alba al tramonto era un continuo e dolce ronzio di api, e siccome l'aria era anche molto secca tante api erano pure addette alla raccolta di acqua che versavo due volte al giorno in un incavo sopra un sasso.

Ma l'andamento stagionale ha causato notevoli danni agli allevatori di montagna che, all'infuori del latte e della carne, non hanno altro raccolto. Quindici giorni di meno in alpeggio vuol dire meno latte nella caldaia del formaggio: per una malga con un carico di cento vacche da latte in produzione potrebbero essere centodieci chili di formaggio in meno ogni giorno; ed è in giugno e non in settembre che le vacche (e la malga) producono.

Ieri per rendermi conto di queste cose sono risalito per la vecchia strada che facevo da ragazzo con mio nonno o mio padre per rivisitare le malghe piú belle dell'Altipiano. Con animo lieto ho constatato come i nostri malghesi curino con la solita passione i loro animali, e i pascoli e i manufatti che per cento giorni all'anno, seguendo ancora la forse millenaria tradizione, la Comunità e i Consorzi tra i Comuni cedono loro in affitto.

Le vecchie casare di tronchi che restavano nel ricordo dell'infanzia (costruite con il nordico e antico sistema *blochbau*: abeti squadrati rozzamente, incastrati agli angoli, chiusi nelle giunture con muschio o con un impasto di sterco bovino e creta, il tetto piramidale con le scandole posate sopra l'intelaiatura delle travi portanti e stanghe) ora sono quasi tutte sostituite con i fabbricati in muratura, che però mantengono lo stesso schema e orientamento: a sinistra il vano per la refrigerazione del latte e l'affioramento della panna, la conservazione del burro; a destra il vano per la lavorazione del latte e per la preparazione del cibo.

Di fronte a questo fabbricato, dopo il cortile, un altro di identiche proporzioni, con a destra la stanza per la salagione e la lavorazione del formaggio nei suoi primi quindici giorni, a sinistra il vano per la conservazione e la stagionatura sino a settembre; sopra le due o tre stanze da letto per la famiglia del malghese e gli aiutanti.

La Comunità Montana, con i contributi della Regione e dei Comuni proprietari, ha provveduto in quasi tutte le nostre malghe alla costruzione dei servizi igienici con doccia, e alla fornitura di un gruppo elettrogeno che alimenta la mungitrice, la zangola per fare il burro, il pompaggio dell'acqua, la radio e, a volte, la televisione.

Come sembrano remoti i nostri anni Cinquanta, quando

per avere l'acqua necessaria bisognava andare con i secchi alle sorgenti lontane anche mezz'ora di cammino, e come è simbolica quella lapide del XVIII secolo che presso una fonte dice: «Un carbonaio che in Solagna nacque | Con teso orecchio discoprí quest'acque». Dicono in proposito le antiche cronache: «... Un carbonaio stava dormendo in una capanna, quando fu destato da un rumore simile al gorgoglío dell'acqua corrente. Tese per qualche minuto l'orecchio; e messosi a scavare nel luogo che piú gli sembrava indicato, a pochi piedi di profondità trovò una corrente di freschissima acqua, che in quella località e dintorni mancava del tutto...»

Si racconta pure di un malghese che, salito all'alpeggio con una mandria ben nutrita, dopo una quindicina di giorni ritornò a casa con il solo bastone perché una epidemia aveva ucciso tutti gli animali. Questi ricordi mi sono venuti vedendo ieri l'acqua corrente nelle malghe e gli addetti al controllo alimentare del latte (e quindi della salute degli animali) che durante la mungitura pomeridiana prelevavano i campioni per le analisi e pesavano il latte di ogni vacca. Ogni animale, distinto con il numero del libro genealogico e nome, è soggetto a un controllo periodico che viene elaborato con un calcolatore, e cosí carica batterica e qualità (grassi, proteine e zuccheri) vengono seguite e registrate per ogni vacca, e i tecnici possono fornire consigli alla conduzione dell'allevamento.

Ma anche per il pascolo si seguono particolari accorgimenti; le vacche degli anni Ottanta sono piú produttive di quelle dei decenni trascorsi e per avere quindi piú latte è necessario avere piú produzione di erba in qualità e quantità. I pascoli non si sono allargati, anzi il bosco tende a invaderli, e quindi oltreché tenerli sgombri dai cespugli e dagli arbusti, si rende necessaria la concimazione organica con lo stallatico prodotto durante la permanenza nell'alpeggio integrato con concime chimico; viene fatta anche la lotta alle specie velenose o rifiutate dalle vacche, come il nardo, il senecio, le ortiche, le ranuncolacee, il cirsio spinoso e il velenoso veratro.

In un'area della malga Poselaro è in atto una prova dell'Istituto di Sperimentazione Agraria e di Genetica di Lonigo, e con particolari diserbanti ormonici selettivi si agisce per eliminare le specie infestanti. C'è anche un gruppetto di tre operai che con i picconi lavorano a strappare dal pascolo le radici del veratro che vengono lasciate seccare al sole e all'aria; il prossimo anno si confronteranno i due metodi con i risultati e i costi. (Anni fa alcuni cittadini inesperti hanno scambiato la pianta del veratro con la genziana lutea e le radici infuse nella grappa si sono dimostrate mortali!)

Intanto si può vedere che, dove il pascolo delle malghe è stato liberato dalle erbe infestanti, si sono bene sviluppate, anche per apposite semine, le graminacee come il fleolo, la dattile e la poa, ottime foraggere e quindi, per quella centrale chimica di trasformazione che è la vacca, produttrici di buon latte; che ci dà un formaggio tra i piú buoni che da noi, da mille anni, si fa cosí: la mungitura della sera si lascia raffreddare in recipienti larghi e bassi nel locale piú fresco della casara e dopo aver levato la panna affiorata con un piatto liscio di legno (servirà per fare il burro) la si aggiunge alla mungitura della mattina che ancora calda di mammelle è stata già versata nella grande caldaia di rame (le mungiture, dopo aver radunato le vacche sparse sui centinaia di ettari della malga nell'apposito ampio locale riparato, vengono eseguite tra le cinque e le otto del mattino e tra le quindici e le diciotto del pomeriggio, ora legale).

Con il fuoco il latte viene portato a 27 gradi centigradi e a questo punto viene aggiunto il caglio per il coagulo; con un bastone al cui fondo si trova un disco di legno, viene dolcemente rimestato, lasciato coagulare, poi il coagulo rotto e rimestato con la lira fino a formare dei granuli come chicchi di riso. La temperatura viene quindi alzata sino a 37-38 gradi e a questo punto viene levato il fuoco da sotto la caldaia (ma le condizioni climatiche ambientali possono far variare di qualche grado queste temperature).

Quando tutta la cagliata si è depositata sul fondo ed è avvenuta la separazione del siero verrà lasciata riposare per un po', infine levata e riposta a compressione delle mani dentro le apposite fascere, pronte a ricevere sopra un piano inclinato, pure in legno. Dopo qualche giorno incomincerà la salatura, non per salamoia ma a secco, che durerà quindici giorni. Poi ogni giorno ci sarà il voltamento della forma e, a suo tempo, le raschiature e le oliature con olio di lino crudo. A sei mesi si potrà già gustare, a un anno è buono, a due è ottimo, a tre è degno dei migliori prosecco e pinot.

Neve d'estate

Ci sedemmo sui sassi davanti al ricovero, al sole caldo dei duemila metri, e ricordai un giorno di febbraio quando in questo baito di pastori venni a rifugiarmi dalla tormenta che levava il respiro. Le pecore stavano sdraiate vicino alla pozza dell'acqua piovana e gli asini sostavano in piedi all'ombra delle rocce; l'asina gravida, per liberarsi dal fastidio delle mosche, era invece entrata in una galleria scavata dagli Austro-ungarici per ripararsi dalle bombe che quassú, nell'ormai lontano 1917, scaraventavano le artiglierie italiane dalle montagne a sud. Un cane dagli occhi splendidi per intelligenza e mansuetudine era venuto a posare la sua testa sulle mie ginocchia e per compensarlo della sua dimostrazione d'affetto lo grattavo dietro la nuca e sotto la gola.

«Vedi, – mi diceva Alberto, – le pecore quest'anno hanno una bellissima lana, bianca, lunga e morbida. Ma cosa ce la pagheranno a settembre i mercanti? Sarei contento di ricavare quel tanto al chilo da riuscire a pagare l'affitto del pascolo al Comune e avanzare qualcosa per me».

«Cosí è per la lana, – dicevo, – ma per la carne è differente. Le vostre, oltre che essere da lana, sono pecore da carne, e la carne ripaga...»

Gli agnelli di queste pecore di razza *Foza* fecondate dai montoni bergamaschi, in un anno raggiungono i settanta chili di peso vivo, corrispondenti a quaranta netti. Ma solamente i maschi vengono castrati per l'ingrasso, le agnelle vengono tenute per la rimonta del gregge; non sempre, però, la carne dei castrati è gradita sul nostro mercato e qualche volta prende la strada dell'estero: a questa carne squisitissima e sana, alimentata con l'erba dei duemila metri e purificata dall'aria delle cime, si preferisce la scialba «fettina» di vitello ingrassato al chiuso e con i mangimi.

In questo campo succedono dei fatti apparentemente strani che stanno a cavallo tra progresso e tradizione: ho conosciuto un industriale veneto che per la mensa della sua casa faceva allevare in alta montagna, anno per anno, un piccolo armento di castrati; e un nobile con l'hobby dell'allevamento che fece venire in aereo dall'Inghilterra pecore e montoni selezionati da carne, che poi fece pascolare quassú, con l'intenzione di creare una industria di tortellini alla carne di pecora per esportarli poi sulle tavole di Londra.

Ben altra importanza, invece, assume l'esperimento, seppure molto costoso, di un laniere di Borgosesia che dalla lontana Tasmania ha fatto arrivare un gruppo di *Cormo*, selezionatissimi ovini ottenuti accoppiando montoni *Corriedale* con pecore *Superfine Saxon Merino*; sono questi capi di grande pregio e di sicuro avvenire sia per la qualità della fibra quanto nessun'altra sottile, morbida e resistente (20-23 micron e ancora meno negli incroci valsesiani!), che per resa di carne.

Gruppi di queste *Cormo* sono stati pure acquistati dai cinesi, dagli americani e dagli argentini e non può che far piacere sapere che un nostro imprenditore che crede nell'allevamento e nell'industria della lana (che è antica quanto il mondo!) è stato il primo in Europa a prendere questa iniziativa. Ora questo gregge pascola appena sotto i ghiacciai del Monte Rosa, con risultati che dànno molto a sperare e che ripagano la passione e la fiducia.

Queste cose le raccontavo ai miei amici pastori. Maurizio, che è giovane e che solamente da tre anni ha scelto l'arte della pastorizia, ascoltava con grande interesse e guardava le sue rustiche pecore stese a ruminare forse pensando alle favolose *Cormo*; anche un ragazzo che era venuto da Cima Portule, dove a guardare il gregge aveva lasciato il padre, stava ad ascoltare attento appoggiato al bastone: aveva camminato fino qui per vedere un suo cane a scuola dagli esperti.

Maurizio e il ragazzo, dopo aver bevuto due sorsate d'acqua, presero da una grossa borsa una siringa per punturare una decina di pecore con la medicina contro la malattia dei piedi. Con il cane «maestro» in un attimo isolarono gli animali prescelti e, benché pesanti, a Maurizio veniva facile rovesciarli sul dorso e iniettare l'antibiotico.

Venne poi a sciogliere il cane «allievo» che era legato a un grosso sasso, era lo stesso cane che gli avevo visto camminare accanto quando passarono sotto casa, e si avviò per condurre il gregge verso un alto pascolo ancora vergine. Nel muovere gli animali il cane commise due errori, con un suono gutturale e sonoro venne richiamato e il cane «maestro» a un cenno di Alberto provvide a rimediare.

«Vedi, – mi diceva Alberto, – a causa della poca neve che è caduta nello scorso inverno, quest'anno non abbiamo erba da far pascolare. Ogni stagione deve avere il suo corso e per questo siamo costretti a pascolare in anticipo sulle montagne piú alte...»

Gli altri anni, di questo tempo, si potevano ancora vedere nei canaloni e nei luoghi posti a tramontana grandi macchie di neve, ma nei solivi l'erba era verde e rigogliosa; quest'anno non c'è neve ma non c'è neanche erba: sul terreno nudo il freddo l'ha bruciata e dove le pecore avevano sostato per concimare il terreno il letame non si è sciolto. Cosí l'erba non cresce perché la neve non ha protetto la cotica, non cresce perché la primavera è stata secca e dopo le piogge di fine maggio sono venute le brine. Il 12 luglio è nevicato sopra le pecore.

Da tre anni i pastori trentini della Valsugana non salgono piú a pascolare il loro versante, perché hanno smesso la coltura della pastorizia, e tra cinque o dieci anni, dice Alberto, smetteranno anche i pastori veneti. Il sacrificio non viene ripagato, è sempre piú difficile camminare lungo le strade e piú nessuno si interessa ai loro problemi; non è sufficiente la passione per una vita randagia e libera quando tante tentazioni premono per una vita piú facile e comoda.

Ma non credo che per questo i pastori finiranno di fare i pastori perché ci sono ancora quelli che hanno nel sangue da infinite generazioni la passione per questo mestiere che è quasi un'arte. Anche Kino Tagliaro qualche anno fa aveva smesso per lavorare da agricoltore in una fattoria che i suoi avevano comperato con il reddito della pastorizia, ma recentemente ha ricomperato le pecore che aveva venduto e il prossimo anno lo rivedrò passare verso le antiche montagne con il suo gregge. Come un re.

Sete sull'Altipiano

Andando per il bosco non vedevo un fungo, poche erano anche le fragole, quasi nessun mirtillo; non sentivo voli di vespe e di calabroni, e solamente una volta ho ascoltato il richiamo dei caprioli in amore. Gli alberi trasudavano resine e da questi e dal suolo veniva l'odore della siccità; nell'angolo piú ombroso del bosco dove il vecchio Pasc aveva scalpellato un albio per far bere gli uccelli, non restava nemmeno una goccia d'acqua. Sembrava proprio che il sole insistente, il vento caldo e le notti senza rugiada avessero cagionato un letargo estivo simile al letargo invernale.

I faggi sulle rive a Mezzogiorno erano diventati rossi come a fine ottobre, le betulle e gli aceri avevano le foglie cascanti; l'erba sui prati invece di crescere diminuiva giorno dopo giorno perché il sole la consumava. Di notte sentivo le vitelle e le vacche sui pascoli che urlavano alla luna come per chiedere acqua al cielo. Il caseificio cooperativo nel trascorrere di nove giorni diminuí del cinquanta per cento la produzione di formaggio e burro perché di altrettanto avevano diminuito le vacche nella produzione del latte.

Anche per le malghe in alto era un grosso problema perché i quasi diecimila capi che alpeggiano sulle nostre montagne stavano per finire tutte le scorte d'acqua raccolte nelle pozze e nelle vasche; anzi, in qualche malga si dovette provvedere al rifornimento attingendo con autobotti dal laghetto artificiale dove all'inverno si fanno le gare di pattinaggio veloce.

In un'alba per niente fresca come avrebbe dovuto essere,

mentre stavo abbeverando il mio orto riarso con acqua di recupero, mi vidi invadere il prato da un piccolo branco di vitelle urlanti che poi parai in un luogo recintato. Erano scappate da una malga per ricercare un po' d'erba fresca e di acqua; un ragazzo della contrada le riconobbe e alla sera un vaccaro scese a prenderle per ricondurle su.

A completare questa situazione difficile venne la tromba d'aria che dopo aver girato sopra l'Altipiano si calò sopra le case di Enego.

Per evitare gli incendi in zone particolarmente innescabili, i sindaci hanno allargato il divieto di accendere fuochi dai cento metri del limite del bosco al divieto assoluto. In queste zone è stato anche vietato il transito pedonale a turisti e villeggianti perché al sabato e alla domenica troppa gente vi affluiva dalle città afose, e non erano pochi quelli che sbadatamente buttavano mozziconi accesi, o accendevano fuochi per arrostire braciole e salcicce.

Nei fine settimana di questo periodo estivo novanta uomini giorno e notte, e collegati da pattuglie con radiotelefono, si dànno il turno per sorvegliare i nostri boschi al fine di sventare gli incendi. Ma la bravura non sta nello spegnere il fuoco ma nel prevenirlo; e quando nella zona dei Kastelari venne segnalato un piccolo incendio si circondarono due ettari di bosco, si fece tutt'intorno una tagliata e si scavò una trincea sino a trovare la roccia nuda per levare l'esca, e poi lo si lasciò fare tenendolo sotto controllo. Ogni tanto lo scoppio di una bomba ci faceva ricordare che lí, nel 1917, c'erano le batterie che sparavano sull'Ortigara.

Finalmente l'altra notte il furioso temporale ha posto fine al fuoco e alle esplosioni. Ma è da dire che il caldo e l'arsura dànno anche alla testa della gente e che le notizie dei fuochi diramate con i mass-media, e il tanto parlarne, possono spingere qualcuno alla piromania: in una precisa zona e a piú riprese e in tre luoghi differenti i nostri «guardiafuoco» sono dovuti intervenire come «volanti» per spegnere dei focolai che solamente un maniaco, un pazzo o un puro criminale poteva aver attizzato con rami secchi posati con arte allo scopo!

In questa estate arida e di calura nemmeno le api hanno potuto fare il loro raccolto; loro, le creature del sole, non trovavano fiori dove raccogliere polline e nettare, e nemmeno rugiada per dissetarsi. Mi sembrava impossibile, però, che il bosco non producesse la rugiada melata: temperatura elevata e umidità discreta avrebbero dovuto favorire questo fenomeno provocato dagli afidi; e invece no, perché quando una sera mi decisi a guardare nell'interno delle arnie mi resi conto della carestia che anche le api stavano subendo.

Si sa che meno nettare raccolgono le api piú hanno necessità di acqua: le operaie la usano per diluire il miele cristallizzato e per preparare il cibo alle pupe; ma anche, fatta evaporare dalle ventilatrici, serve per rinfrescare e condizionare l'interno delle loro case. Per portarne cento grammi un'ape deve fare duecentocinquanta viaggi, e cosí, per agevolarle nel loro lavoro, due volte al giorno riempivo con acqua l'ampia coppella su un masso a sera della casa, e anche il fondo di una bomba da 152; sopra l'acqua posavo dei fili d'erba perché non annegassero: succhiavano avidamente dal muschio inzuppato e, a corona, dall'orlo della bomba. Ho osservato che amano di piú bere dalla bomba, forse perché il vecchio ferro arrugginito cede all'acqua l'ossido o altre sostanze a loro gradite. Ho anche calcolato che nelle giornate particolarmente calde e ventose ogni arnia consuma circa un litro d'acqua; quindi le api di ogni famiglia facevano duemilacinquecento viaggi per il rifornimento idrico!

Quando la calura arroventava i tettucci e le api sostavano affannate sui predellini di volo, prendevo il nebulizzatore che mia moglie usa per inumidire la biancheria prima di stirarla e con questo arnese spruzzavo d'acqua pura api e arnie, e mi pareva che le api ne trovassero ristoro e piacere.

La mia esperienza di apicoltore è ben modesta e molto modesto è anche il mio apiario, ma mai mi era capitato di dover alimentare una famiglia in luglio, quando da noi in montagna si dovrebbe essere nel pieno del raccolto sulla fioritura dei pascoli alti e del sottobosco. Per quest'anno gli amici non potranno perciò avere in dono il miele delle mie api, e i miei nipoti dovranno accontentarsi della marmellata casalinga. Ma per l'amico poeta tra i piú bravi viventi un vaso di miele ci sarà, a costo di rubarlo alle api sostituendolo con alimentazione artificiale.

In questi giorni d'agosto è finalmente arrivato dal Nord il vento freddo che con le nuvole nere ha portato la pioggia benefica; l'erba sta ritornando verde e le mandrie al pascolo non urlano piú nella notte, e si lasciano beatamente lavare; nel bosco ho risentito cantare gli uccelli e, alla sera, il fippire delle capriole in amore. Qualsiasi cosa dica Ceronetti, noi abitanti delle montagne dalla breve estate, ai trentatré gradi di caldo dei giorni scorsi preferiamo i modesti diciotto di oggi e, piuttosto, i meno venti del nostro inverno.

Guerra all'incendio

Come mia abitudine stavo lavorando con la finestra aperta verso i prati, i boschi e le contrade; l'aria che entrava serbava ancora un po' del calore estivo, ma quando alzai la testa dalla pagina mi accorsi che la luce della stanza aveva un'altra tonalità: non era piú brillante e decisa per il sole che fino a poco prima splendeva limpido da un quarto del cielo, ma si andava attenuando per un velo di nebbia giallina che si addensava sulla conca. Con questa nebbia mi colpí subito un odore di erba secca, di sterpi, di foglie bruciate: un odore simile a quello del *makorka*, i fusti e i rami della pianta del tabacco che fumavamo durante la guerra nei Paesi dell'Europa orientale.

Mi affacciai alla finestra e chiesi a un amico che stava guardando le sue vacche al pascolo da dove provenissero questo odore e questo fumo. «È venuto improvviso da dietro il Monte Catz, – mi rispose. – L'ha portato l'aria che si è mossa da ponente». Il fumo e l'odore provenivano da lí, ma non si riusciva a vederne l'origine, non si sentivano segnali o rumori che dessero a capire interventi per spegnere un incendio. Fiutavo l'aria come un setter e cercavo la direzione del vento; infine l'odore si attenuò, il sole ritornò a brillare e io ripresi la mia pagina.

Dopo nemmeno un'ora l'aria riportò fumo e odore; una folata che liberò il paesaggio mi fece capire che l'incendio era laggiú, tra il Monte Cengio e il Corbin, o dietro il Paú, sui versanti che guardano la pianura. È sempre lí che gli sbadati o gli incoscienti che passano in auto gettano le cicche dal finestrino, tanto che Comunità Montana e forestali sono stati costretti ad aprire una strada «frangifuoco» a protezione dei boschi di conifere che vegetano e prosperano sull'Altipiano. A guardarla da lontano, dalla pianura industrializzata e popolata, a certuni questa strada sembrava una ferita al paesaggio e un oltraggio alla natura e per questo vennero proteste e lettere ai giornali da parte dei protezionisti a oltranza che qualche volta non capiscono o non vogliono rendersi conto che certi interventi sono necessari.

Odore e fumo leggero si alternavano nelle ore del giorno a seconda di come girava l'aria. Quando scese la notte non vidi bagliori, ma al mattino notai cenere e resti di combustione sul poggiolo di casa; e cosí decisi di andare all'Ispettorato Distrettuale delle Foreste per sentire cosa stesse succedendo. Erano tutti fuori a lottare contro il fuoco, o a riposare dopo i turni fatti nella notte; c'era solamente una guardia al telefono. Mi disse qualcosa ma anche, se volevo saperne di piú, di salire sul Monte Cengio.

Il fuoco era partito dalla pianura, e a provocarlo era stata una fonderia che aveva un camino laterale verso una riva cespugliata. Dopo una colata, le faville erano uscite per questo scarico; un colpo di vento e la siccità provocarono il resto.

Dalla riva sinistra dell'Astico il fuoco salí aggredendo voracemente i prati che non erano stati sfalciati e le viti abbandonate; proseguí verso una chiesetta dedicata a san Zeno e gli abitanti delle contrade attorno subito si diedero daffare per contenere i danni. Ma degli scoppi li fecero impaurire e allontanare: tra le pendici di quelle rive e tra quei valloncelli che scendevano dal Monte Cengio erano rimaste nascoste sotto terra o tra i cespugli cartucce e bombe della Grande Guerra.

Nel guardare la carta topografica dell'IGM ho capito che quello era il posto in cui nel 1916-17 c'era la batteria dove prestava servizio Cesare Musatti; era stato proprio lui a spiegarmelo quest'estate a Folgaria: i cannoni erano giú in basso a sbarramento della Val d'Astico o per eseguire il tiro d'interdizione sull'Altipiano, mentre lui si trovava nell'osservatorio di Monte Cengio. Ma Musatti aveva rotto il binocolo e cosí i dati se li faceva dare da un amico che era nell'osservatorio di Monte Corbin. Ora le granate inesplose sparate dagli austriaci scoppiavano dopo settant'anni a causa di questo incendio. Nella seconda notte vi fu anche un fragore vasto e cupo, il fuoco aveva forse raggiunto una riservetta di munizioni lasciata dagli italiani, e la gente ai piedi dei monti ebbe paura.

Intanto l'allarme aveva messo in moto le guardie forestali, gli operai boschivi, i vigili del fuoco volontari e ordinari. Si cercava di fronteggiare le fiamme che intanto si erano aperte a ventaglio dal basso all'alto su un terreno impervio dove fitti e disordinati crescevano cespugli spinosi, carpini, roverelle, ornielli.

Ora per ora il fuoco saliva di quota minacciando i boschi di faggio; in breve dai duecento metri della riva dell'Astico era salito ai mille verso il Col delle Mandre e la Val del Cavallo; e oltre questi monti c'erano i grandi boschi di resinose.

Si tentò di accerchiare il fuoco dal basso, ma quando si credeva di averlo imprigionato una fiammata riprendeva improvvisa al di là di un calanco o di una roccia. Era una battaglia in campo aperto e la gente si comportava come in guerra: chi aveva coraggio e chi aveva paura, chi era prudente e chi ostentava spregiudicatezza. Due elicotteri si alternavano a caricare acqua nell'Astico per bombardare dall'alto le fiamme piú vivaci e ogni volta un proiettile di ottocento litri d'acqua sollevava una nuvola di vapore.

Le fiamme guizzarono vive per i ciuffi d'erba secca su per le rocce del Monte Cengio; in vetta si prepararono le cisterne d'acqua e quando le vampate roventi giunsero a pochi metri dalla chiesetta e dal monumento ai Granatieri di Sardegna, si provvide a irrorare il tetto e la radura intorno.

Gli esperti speravano che raggiunto il colmo, per il richiamo dal fronte opposto di aria fredda, l'incendio si fermasse. Fu cosí, per nostra fortuna. Ma se il fuoco avesse tracimato e intaccato il bosco d'abeti chi l'avrebbe piú fermato? Dai lati, per l'uno e l'altro versante di due valli, il fuoco continuava la sua corsa. Intervenne l'aereo dal ventre capace, ma il fumo e le valli troppo strette non gli permisero di scaricare con profitto la sua acqua.

La battaglia continuò per giorni a vicende alterne; dei gruppi che avevano tentato di scavare delle trincee dovettero rinunciare per il pericolo delle scariche di sassi che, non piú trattenuti sul terreno denudato, precipitavano dall'alto. Per fermare l'invasione non restava che tentare il controfuoco, ossia levare esca all'incendio avanzante provocando contro un fuoco controllato. È questa un'operazione pericolosa ma efficace. Il primo esperimento andò a vuoto perché i volontari che si erano prestati guidarono l'ispettore forestale troppo sotto il fronte avanzante, oltre i boschi di faggio che volevano salvare, e rischiarono cosí di rimanere accerchiati tra le fiamme che avevano provocato. Dovettero fuggire in fretta per un canalone ancora libero. Il secondo tentativo lo fecero piú indietro; andò meglio.

Sul lato destro l'attacco venne cosí respinto e una porta venne chiusa; ora restava da combattere sul fianco sinistro, impervio di rocce, forre, vallette profonde e vegetazione intricata e folta. Erano passati nove giorni da quando le scintille uscite dalla fonderia avevano dato inizio alla battaglia e nella notte, finalmente, uno scroscio d'acqua pose fine alla lotta. Leggo nei miei appunti: «Per quanto meticoloso potrà essere il lavoro umano solo la pioggia potrà ora spegnere qualche focolaio nascosto». La sentivo battere sul tetto e mi distendeva i nervi.

L'Abete Chioccia

«Lontano, nel bosco, c'era un piccolo abete molto grazioso! Aveva largo spazio, poteva godere il sole, l'aria non mancava e tutt'intorno a lui crescevano molti suoi compagni grandi...»

Cosí incomincia *L'Abete* del favoloso Andersen, dove si racconta la storia di un albero di Natale. E cosí termina «...Arrivò il domestico, che tagliò l'albero a piccoli pezzi, ne fece un fascio che divampò con una bella fiammata sotto il grande paiolo... e finito era l'albero, e cosí anche la storia. Finito, finito, cosí finiscono tutte le storie!»

Ma se l'abete di Andersen, dopo aver passato alcuni mesi in soffitta a raccontare la sua triste vicenda ai topi, finí bruciato tra lo stupore dei bambini che stavano giocando in cortile, oggi molti, troppi, forse milioni di abeti giovani finiscono in tutte le città del mondo negli automezzi di raccolta dei rifiuti solidi urbani, perché nemmeno piú vengono usati per fare fuoco. E che bella foresta avrebbero potuto essere!

Anche Anton Pavlovič Čechov si ricrederebbe della sua malinconica fiducia nell'umanità nel vedere tanta strage di verde, lui che scriveva che Meichovo era diventato un luogo civile perché vi aveva piantato tanti alberi e che «... Tra due o trecento anni, tra mille anni forse, ci sarà una vita nuova, felice» (*Le tre sorelle*), perché tutta la terra si sarebbe trasformata in un giardino fiorito.

Questi ricordi della favola di Andersen e delle speranze di Čechov mi sono venuti perché nei giorni scorsi ho visto autocarri di alberi natalizi avviarsi verso le città, ma ho anche letto su qualche giornale dell'iniziativa del Ministero dell'Agricoltura e Foreste che promuove il censimento di tutti quegli alberi e arbusti che per importanza meritano di essere conservati e studiati; iniziativa alla quale si sono affiancate associazioni naturalistiche che invitano il pubblico a segnalare, su una appropriata scheda, gli alberi che per la loro bellezza si dovrebbero proteggere come «monumenti verdi».

Ecco quindi finalmente una notizia buona. Ma in questi ultimi decenni quanti alberi maestosi e centenari, veri monumenti della natura, sono stati distrutti dall'incoscienza dell'uomo? Ricordo a questo proposito un abete bianco come mai piú uno simile mi è capitato d'incontrare, nemmeno nelle foreste del Nord Europa.

Viveva e cresceva in una località della mia terra alla quale lui aveva dato il nome: *Klúkarhen Tanne*, «Abete Chioccia». E difatti attorno a lei crescevano centinaia di abeti bianchi d'ogni età, suoi figli. Lei era plurisecolare (da noi quest'albero è femminile), e il suo ricordo, anche per i piú vecchi boscaioli, si perdeva indietro nel tempo degli avi. La sua corteccia era spessa quattro buone dita ed era tutta segnata da cicatrici cagionate dalle saette; ad abbracciare la sua base non erano sufficienti quattro uomini e a cinque metri dal piede si alzavano cinque diramazioni a candelabro che a loro volta erano altrettanti alberi molto grandi. Ma un giorno, nel 1953, venne un funzionario che ordinò di abbatterla perché, diceva, nell'interno il durame era sicuramente cavo.

Lavorarono contemporaneamente con le scuri quattro boscaioli dall'alba al tramonto. Malvolentieri si erano messi al lavoro perché per noi tutti «La Chioccia» era come simbolo di vita e di tradizione, e aveva anche un fascino misterioso. Un albero da favola, insomma. Il piú anziano ed esperto dei quattro tagliaboschi, contrastando il funzionario, diceva che era un delitto aggredirla con la scure perché avrebbe potuto vegetare per almeno altri duecento anni. Al taglio risultò sana; da lei si ricavarono ben undici metri cubi di legname e sette carri di legna da ardere. Ma i caprioli e gli urogalli abbandonarono quel posto per diverso tempo; e anche a noi ora manca qualcosa.

Pure tra le case del paese c'era un albero quasi millenario, era un tiglio. Una «Linta» nel nostro dialetto. La tradizione diceva che sotto di essa si radunavano i rappresentanti eletti dei Comuni per tenere le «Vicinie» negli equinozi, quando pubblicamente si discuteva l'amministrazione dei beni patrimoniali della Comunità.

Nel 1916 era stato testimone della distruzione totale del nostro paese e sino a non molti anni fa all'ombra di questo tiglio che era incluso in uno stazio della segheria, si disponevano le cataste di tavole per la naturale stagionatura. Ma per i suoi troppi anni questa antica Linta cadeva a pezzi e si dovette abbatterla perché era diventata pericolosa alle case vicine. Quel giorno che non la vidi piú nel consueto paesaggio familiare sentii che veramente era finita un'epoca, anche perché in quell'area venne costruito un grande condominio che certo non rallegra il paesaggio.

Per nostro godimento ci sono ancora, però, degli alberi eccezionali che hanno resistito alla Grande Guerra e alla sconsideratezza degli uomini e ora, finalmente, il nostro giovane Ispettore forestale li ha vincolati per la protezione.

Sono tre meravigliosi ciliegi che la tradizione dice siano stati piantati quando quassú giunse la notizia della scoperta dell'America. Chi li piantò seppe ben scegliere il terreno perché, benché esposti verso nord, rimangono riparati dalle burrasche e dalle grandi nevicate; e in quel luogo, poi, si verifica il fenomeno dell'inversione termica per cui le correnti di aria tiepida che salgono dal basso sopra la profonda valle, sostano attorno a loro creando cosí un'oasi che consente la vita.

In primavera quando fioriscono sono tre grandi nuvole bianche e vaporose; in luglio sotto di loro trova frescura la mandria di cavalli al pascolo; e sul finire d'agosto quando maturano le ciliegie succose, dolcissime e nere, uccelli, ragazzi e ragazze fanno delle grandi scorpacciate. Salire lassú tra i loro rami è come entrare in una foresta.

Nella scorsa estate ho voluto anche scavalcare le montagne per un sentiero dei contrabbandieri e scendere in Val di Sella a conoscere un faggio di cui avevo sentito parlare. Si trova oltre la casa dove abitava De Gasperi durante l'estate; verso Malga Costa, a circa mille metri d'altitudine.

Anche lui, come l'Abete Chioccia, dopo la larga base piena di cicatrici e di caverne, alza un candelabro di tronchi verso il cielo, e i bambini e i ragazzi lo scalano come fosse un masso erratico. Peccato, perché mi sembra sofferente, se non ammalato, e le sue grosse radici che affiorano dal terreno vengono continuamente calpestate dai visitatori. Speriamo che vogliano ricoprire queste radici, medicare e chiudere le caverne della base e proteggerlo tutt'intorno con un recinto.

Marte, cane libero dai segreti amori

Chissà da dove è venuto; forse l'aveva abbandonato quassú un turista di passaggio o forse, anche, e mi piace pensarlo, questo posto l'ha scelto lui quando decise di vivere libero dopo aver gironzolato nella zona per qualche tempo o lasciato una casa che non gli andava. Intanto è già il terzo anno che trascorre in paese e certamente ci resterà finché ne avrà voglia, o vita.

Qualcuno un giorno l'ha battezzato «Marte» e a questo nome, che certo non gli si confà, risponde con manifesta compostezza a chi lo chiama per una carezza o per un boccone. La razza? Dal pelame del muso si direbbe che ha senz'altro sangue di *pastore scozzese* ma anche di *épagneul breton* e, tra gli ascendenti, *setter* e *pastori bergamaschi*; ma è di qualità, anche se trovatello. Lo dimostrano il suo carattere e la sua classe, la sua accondiscendente amicizia verso i ragazzi e le donne e, nel contempo, l'assoluta sua libertà che disdegna padroni e guinzagli o canili, o una casa.

Non ha un posto fisso per dormire e nemmeno con le bufere di neve e venti gradi sotto zero entra da chi gli apre una porta. Se le notti sono chiare e tranquille preferisce passeggiare per le strade o per i prati della periferia, o seguire una guardia notturna o i carabinieri in ronda; certe volte si ferma sotto una finestra per abbaiare a un amico o a una amica, non per chiedere cibo o riparo ma per compagnia, o come per un invito a uscire dal letto per godere la notte.

Se piove o è molto freddo si sdraia sopra un nettapiedi davanti a un uscio, o sotto un ballatoio, ma mai gli stessi.

Un giorno l'ho visto andare con i segugi all'inseguimento di una lepre; l'autunno scorso seguire un gregge. (Questa volta, pensai, non ritorna piú indietro, ha trovato un lavoro o un padrone. E invece quella stessa sera era di ritorno al «suo» paese).

Nei giorni di scuola ogni mattina si fa trovare davanti a una casa da dove uscirà uno scolaro e sembra che ormai li conosca tutti: gli scolari e gli usci. Accompagna chi quella mattina ha scelto fin sulla porta dell'edificio scolastico, e lí rimane con i ragazzi sino all'ora della chiamata in classe; nel frattempo chi gli dà un boccone di pane, chi un pezzo di biscotto, chi un frutto che lui prende sempre con molta distinzione e senza ingordigia; anzi può capitare che preferisca una carezza dopo aver fatto gentilmente di no con la testa.

Quando i ragazzi sono entrati nelle aule e il bidello ha richiuso il portone, se ne va tranquillo annusando lungo i marciapiedi. Giunto davanti alla macelleria della piazza non disturba i clienti e non abbaia: si siede composto davanti alla porta e aspetta il garzone o la bella cassiera che gli porgono un pezzettino di fegato o di trippa o un bell'osso.

Dopo questa seconda colazione fa il giro delle amicizie adulte, va ad accogliere una carezza dalle commesse della boutique, attraversa la strada e si ferma davanti alla profumeria dove la proprietaria esce a spazzolargli il pelo; passa dal vicino benzinaio a vedere se la benzina è cresciuta, annusa le chiavi inglesi dell'officina, poi arriva davanti al municipio a controllare gli impiegati che si attardano a bere il caffè. Quando arriva l'ora della ricreazione si affretta verso il cortile della scuola per giocare con i suoi amici ragazzi, e nessuno gli usa sgarbi. Dopo, stanco, si riposa al sole lungo un muro e aspetta la fine delle lezioni.

Cosí come ha scelto al mattino il compagno di strada sceglie ora e, con un gruppetto o solo in due, insieme vanno verso una casa dove lui non entra ma aspetta sul pianerottolo o nel cortile qualcosa da mangiare per il pranzo.

Le ore del primo pomeriggio gli sono le piú noiose perché le botteghe sono chiuse e i ragazzi stanno facendo le lezioni per casa; gironzola allora vicino ai caffè o le osterie dove gli uomini vanno a giocare alle carte prima di riprendere il lavoro. A una cert'ora, sostituendo la vecchia guardia comunale che da anni è andata in pensione, va anche a controllare la partenza e l'arrivo delle autocorriere di linea e se i partenti o gli arrivati gli sono simpatici scodinzola leggermente dopo averli annusati. Se la giornata è bella e gli viene il ghiribizzo va anche a correre per i prati dove si diverte un mondo a far galoppare le vacche al pascolo, o inseguire i tacchini e le galline: lo fa per gioco, certo, ma qualche volta i contadini si incavolano perché abbaia molto forte.

Certe domeniche di intenso movimento turistico, si ferma nel bel mezzo dei crocicchi come un vigile che regola il traffico; resta lí immobile e segue con gli occhi tutte le automobili che gli passano accanto come cercasse qualcuno; forse cerca quel tale che un giorno di qualche anno fa lo abbandonò, o forse un ragazzo che vide partire.

In queste sere, dopo aver guardato tutti i passanti e aspettato invano di riconoscere il volto o l'odore della sua infanzia, gli viene la malinconia e il desiderio di farsi coccolare; cosí va a guaire davanti la porta di una signora che provvede amorevolmente a lavarlo e pettinarlo. Ma non si ferma da lei perché dopo uno sguardo di riconoscenza se ne va a trovare le altre amicizie, o si accompagna nel passeggio alle ragazze del liceo, o segue una casalinga nella spesa, o anche la mite infermiera fino sulla porta dell'ospedale.

L'altro giorno era davanti alla buca delle lettere dell'ufficio postale e annusava tutta la gente che andava a imbucare. Annusò i biglietti di auguri natalizi che tenevo in mano, scodinzolò lievemente; gli grattai la nuca e lo invitai a seguirmi, fece di no con la testa e si sedette come di guardia agli auguri e alle lettere imbucate.

La stranezza di «Marte», o forse la sua migliore qualità, è che non ha una amicizia prediletta o una particolare casa dove rifugiarsi; con i nostri cani compaesani non attacca briga, non abbaia, non provoca e nemmeno da loro viene provocato. Tutti, davanti a «Marte», diventano gentili e buoni. Persino ignora i gatti e i gatti ignorano lui. Dovrebbe essere anche molto discreto nelle faccende d'amore perché non è mai stato visto seguire nei gruppi le cagne in calore, cosí viene da pensare lui abbia un amore segreto; difatti per due volte all'anno per un certo periodo di tempo non si fa vedere.

Si sa anche di persone, ragazzi e ragazze, donne per lo piú, che vorrebbero tenerlo in casa, per amicizia, compagnia e stima, ma lui non ci sta; tutto al piú, dove sente tanto affetto e comprensione, va abbaiare senza impertinenza ed in modo tutto particolare, per chiedere un boccone. Quasi come facesse un piacere – ma lo fa! ma lo fa! – a chi glielo porge.

Anche mia nipote che con gli animali ci sa fare, che vorrebbe seguire le orme di Konrad Lorenz, e che terrebbe in casa anche le vipere, ha invano tentato non di farselo amico ma familiare. Non è riuscita a mettergli un guinzaglio nel senso affettivo: la segue a scuola, va ad aspettarla davanti a casa quando ne ha voglia; assieme ai suoi cani di casa, la setter Alba e il bastardino Leo, vanno a spasso per i prati o nelle contrade vicine a visitare gli amici uomini e animali; si azzuffano per gioco sulla neve ma quando lei lo invita a entrare in casa per farlo restare, niente: gira la testa e se ne va.

Capriolo alla guerra

Nel settembre del 1944 fascisti e tedeschi iniziarono i grandi rastrellamenti che avrebbero dovuto, nei loro piani, liberare le Alpi dai partigiani; e cosí anche da noi incominciò il grande ballo che fece dormire pure le vecchie con le scarpe ben legate ai piedi.

Una mattina salirono dalla pianura per tutte le strade; bloccarono i trivi e i quadrivi, si allargarono a ventaglio per le strade militari della Grande Guerra e dall'una e dall'altra parte si incominciò a sparare. Nel *Dunkelbald* gli scoppi e gli spari si rinnovavano di radura in radura, da folto a folto; si spezzettavano, si rincorrevano, si spegnevano qui per riaccendersi piú in là tra corse, respiri affannosi, richiami, ordini urlati da una parte e segnali e parole sussurrate dall'altra. Per tutta la giornata, per una notte, per il giorno dopo.

Ogni tanto un ragazzo cadeva e restava come raggomitolato dentro il bosco che l'aveva protetto; gli altri che cadevano, quelli in divisa, venivano invece portati dai camerati verso le strade, caricati sui camion e trasportati via.

Lino era capo squadra, ma non era proprio capo e neanche la sua era una squadra: erano quattro ragazzi di paese e Lino li guidava perché conosceva boschi e montagne in quanto, fin da bambino, andava a caccia con i segugi di famiglia, per tradizione e per passione antica. Ma quella mattina di settembre si aprí ben altra caccia: i caprioli erano loro e i segugi i tedeschi. E che corse dopo quell'alba che si manifestò con scariche di mortaio e raffiche di mitragliere!

Il comandante disse: «Sparpagliatevi per la foresta e ritroviamoci domani sulle montagne a nord».

Stavano lí a riprendere fiato e a calmare i battiti del cuore quando un rumore di frasche e uno stranissimo e leggero passo li fece spianare le armi e mettere l'indice sul grilletto. Era solamente un piccolo capriolo, di quelli nati in primavera, ed era solo, ossia senza la madre. Trattennero il fiato, l'animaletto li fissò con gli occhi umidi e poterono vedere e capire il suo sgomento. Ma non andò via, non si allontanò da loro, anzi: venne a sdraiarsi proprio accanto a Lino che stava disteso sul ventre con il mitra spianato.

Lui sapeva come trattare gli animali, apparteneva a quel genere di persone a cui non solamente gli animali domestici diventano confidenti, ma anche i selvatici non dimostrano diffidenza. Parlò sottovoce, sussurrando con dolcezza: «Dove vai... sei spaventato eh... stai qui fermo... stai buono... non muoverti che ci sono i tedeschi in giro per il bosco». Poi, sempre lentamente, la sua mano sinistra lasciò il sottocanna del mitra e con dolcezza incominciò ad accarezzarlo sul collo. Il piccolo capriolo lasciava fare e tremava tutto. Lo sentiva sussultare sotto la mano allo scoppio di una bomba o a una raffica giú per il bosco.

Dopo venne il silenzio, o meglio gli uomini stettero senza provocare rumori innaturali e nella foresta ritornarono le voci usuali: il vento tra i rami piú alti, i canti degli uccelli, il ronzio degli insetti.

«Proprio da te che sei anche cacciatore doveva venire questa bestiola, – sussurrò un compagno, – non ti sei accorto che è ferito?» «Sí, ho visto che una pallottola gli ha tranciato una zampa. Si sarà trovato in mezzo a una sparatoria, e chissà cosa sarà capitato a sua madre». Il piccolo capriolo si lasciava sempre accarezzare; Lino si alzò lentamente a ginocchioni e levatosi il fazzoletto rosso che aveva attorno al collo legò con questo il moncherino sanguinante.

Passò dell'altro tempo, forse un'ora, forse tre, forse meno. Certo era di pomeriggio perché il sole incominciava a scendere; gli scoppi erano giú per la valle e, lontano, si vedeva salire il fumo di una contrada che bruciava. «Ora ci conviene andare, – disse Lino, – in silenzio cerchiamo di raggiungere il margine del bosco, e poi quando sarà notte fonda attraverseremo la conca per poi risalire le montagne a nord, come ci ha detto il comandante. Lí troveremo gli altri».

Si avviarono circospetti e distanziati l'uno dall'altro, e si tenevano in quota in attesa del crepuscolo; Lino veniva per ultimo ma dietro a lui, trotterellando sulle tre gambe sane, lo seguiva anche il capriolo. Quando si fermarono ad aspettare il buio la bestiola venne a coricarsi ai piedi di Lino. «Si è innamorato di te», scherzò un compagno. «No, mi ha preso per madre adottiva, le bestie sanno di chi fidarsi».

Tra i mirtilli e il muschio del sottobosco Lino vide il giallo carico dei cantarelli e si chinò a raccoglierne una manciata che poi porse alla bestiola nel cavo delle mani; questa li annusò muovendo le narici, e poi alzò la testa a guardarlo. «Mangia dài... io non posso darti latte, mangia i finfarli...» «Non ho mai visto i caprioli mangiare funghi», disse un compagno. «Io sí, – rispose Lino, – sono ghiotti di gambesecche, di finfarli e anche di porcini. Non ti sei mai accorto?» Il capriolo annusò i cantarelli, poi con garbo ne prese uno e incominciò a masticarlo tra lo stupore dei tre partigiani. Questo il loro incontro durante il grande rastrellamento del settembre di quarant'anni fa.

Dopo qualche sera, accanto al fuoco tenue del bivacco, gli trovarono anche un nome: Ciaro, perché aveva il pelo chiaro piú biondo che rossiccio. A questo nome rispondeva scuotendo la breve coda che sempre portava alta; ma solo quando era chiamato da Lino accorreva, e in lui riconosceva il suo signore, e lo seguiva sempre, anche quando un ordine lo faceva allontanare dalla base.

In breve la ferita della zampa era perfettamente guarita, anche perché Lino gliel'aveva medicata con resina che colava dagli abeti; e poi Ciaro in molti casi si era dimostrato prezioso perché con i sensi molto piú sensibili di quelli degli uomini riusciva a segnalare i pericoli con un buon anticipo: a un rumore o a un odore insolito rizzava le orecchie con sospetto mettendo cosí sull'avviso il gruppo di Lino.

Era diventato proprio un'ottima vedetta e riusciva a distinguere i segnali dei partigiani; ma era anche molto buffo al vederlo saltellare sulle tre zampe seguendo quel giovane irsuto e armato come un brigante.

L'inverno che venne fu duro e amaro, non tutti restarono sulle alte montagne e molti discesero nei paesi dove cercarono di sopravvivere nei caldi fienili ospitali in attesa della primavera. In febbraio la fame si fece sentire in maniera acuta e i rifornimenti diventavano difficili, anche perché la neve portava scritte le tracce che loro cercavano di confondere camminando a ritroso e strascinando sulla neve fresca una grossa rama d'abete.

Diventava tutto piú semplice quando nevicava, ma un giorno il comandante disse che se il bel tempo durava sarebbero stati costretti a mangiare Ciaro, che ormai si era fatto grande, scurito di pelo, e si nutriva di cortecce di citiso alpino e di gemme di salicone. Lino si oppose, progettò di andarsene via con lui, magari in un posto piú nascosto; invece si industriò a mettere lacci per catturare lepri e fagiani di monte al fine di alleviare la fame dei compagni.

Verso la fine di aprile vennero i giorni grandi della libertà, e finalmente dopo tanto sparare si poteva camminare e cantare senza angoscia. Lino era sempre seguito da Ciaro e il giorno ventisette arrivò a casa senza chiasso, per conto suo, quasi alla chetichella perché i festeggiamenti avrebbero certamente spaventato la bestiola. Lo rinchiuse in stalla e poi andò anche lui a fare festa. Stettero ancora insieme per un anno, ma nel 1946, in luglio, quando i caprioli vanno in amore e sentí nella foresta i loro richiami, lo lasciò libero facendo sapere in giro a cacciatori e bracconieri che assolutamente mai avrebbero dovuto sparare al capriolo monco della zampa anteriore destra.

Il merlo amoroso

Era l'estate di nove anni fa e un giorno mi vidi arrivare in casa un nostro artigiano che era emigrato a Torino; aveva con sé un'ampia gabbia di legno bella e nuova, e dentro la gabbia un merlo. Mi raccontò che glielo avevano portato dei ragazzi del suo rione dopo averlo preso nei giardini di «Italia 61» perché non era capace di volare e un gatto lo stava aggredendo; lui poi lo aveva tenuto nella sua bottega di restauratore di mobili e subito gli si era messo a cantare con foga.

Ora che era ritornato in paese per le ferie, si era anche portato il merlo dentro una scatola di cartone per non pagare il biglietto del treno e qui aveva comperato la gabbia. Non sapeva a chi lasciarlo, «E poi a Torino, – diceva, – non c'è aria buona. Se lo vuoi lo lascio a te».

Era un bel merlo, dal manto nero antracite e il becco giallo-arancio vivo; a mio parere poteva avere un paio d'anni, forse tre, e la sua incapacità di volare era dovuta al fatto che era vissuto in gabbia da quando l'avevano preso dal nido. «Forse, – mi dissi, – qui potrò liberarlo».

Fin da ragazzo avevo lucherini, fringuelli, cince, cardellini, becchincroce e nell'autunno, con due compagni, dopo la scuola invece di fare i compiti o studiare, andavo nei roccoli a vedere uccellare. Insomma mi ero fatto una certa dimestichezza con gli uccelli e l'ultima gabbia l'avevo aperta un giorno di primavera una decina d'anni fa. Era stata la prigione di una cincia mora dall'occhio vivace e allegro che tenevo in cucina e mi faceva compagnia, specialmente nelle mattine invernali. Quando accendevo la luce e preparavo il fuoco e il caffè era tutto uno svolazzare e un cantare fino a che le davo i semi di canapa schiacciati freschi e le cambiavo l'acqua; allora stava zitta: dopo aver mangiato e fatto il bagno.

La nutrivo anche con tagliatelle, fettine di mele. Le mosche veniva a prendermele dalle dita. Quando la neve e il vento battevano sulle finestre e il camino urlava le dicevo: «Dove vuoi andare con questo tempo? Dove puoi stare meglio di qui?» Accostavo la gabbia alla finestra, lei sbatteva le ali e faceva: «Zití-zit, zii», come a voler confermare le mie parole.

Ma quando esplose la primavera e tutto il bosco e la terra andarono in amore e altre cince e codirosse e fringuelli e tordi e capinere e codibugnoli e luí e rampichini e merli facevano festa alla bella stagione, vidi una cincia mora (era una femmina?) posarsi sulla gabbia che avevo appeso al poggiolo. Allora aprii la porta alla mia cincia e mi scostai. Dapprima restò immobile a guardare quel vuoto aperto agli abeti e alle betulle, quindi girò la testa verso di me, aprí le ali e se ne andò sull'albero vicino dove era attesa.

Beccolò tra i rametti e le gemme, si dondolò con la testa in giú, ritornò e si posò sopra la gabbia e si mise a cantare a squarciagola. Infine questa *tannenmeise*, cincia dell'abete, volò nel bosco con la sua compagna. Era il ventun di marzo, giorno di San Benedetto. Credo che non si fosse allontanata di molto perché mi pareva di distinguere il suo canto. Quando ritornò l'inverno sentii però la sua mancanza e accendere il fuoco e preparare il caffè senza la compagnia del canto della cincia mora non era come fare queste cose con la radio accesa.

Ora avevo in dono un merlo cittadino che non sapeva volare. Sarebbe stato almeno un buon cantatore? Incominciai con il nutrirlo il piú naturalmente possibile: smuovevo la terra dell'orto per cercargli i lombrichi rosei e grassi, alzavo i vasi dei gerani per prendergli le scolopendre, gli portavo i ragni che facevano la tela tra la catasta di legna e il poggiolo; quando maturarono le bacche gli offrii mirtilli, sorbi, sambuchi. Incominciò a riconoscermi e a conoscere le persone di casa, e quando mi avvicinavo alla gabbia non svolazzava e non gridava spaventato ma, immobile sul paletto, aspettava un buon bocconcino.

Non cantò molto quell'anno; ma si sa che dopo il ferragosto quasi tutti gli uccelli smettono di gorgheggiare. Con la muta autunnale sembrò soffrire molto e allora lo sostenni con pezzettini di fegato crudo. Dopo, quando completò il piumaggio, diventò molto vivace e nel tempo che gli uccelli della sua specie lasciano le montagne per volare in pianura e nelle città, divenne molto irrequieto e dentro la sua gabbia lo vedevo sbattere le ali come per esercitarsi al volo. Ma non mi decisi a liberarlo perché, quasi di certo, sarebbe finito nella mira di qualche cacciatore, e questa fine mi sarebbe dispiaciuta.

Per tutto quell'inverno stette zitto; lo tenevo al piano terreno dove ho il banco da falegname e il ripostiglio per il materiale apistico, gli attrezzi da lavoro. Quando era bel tempo appendevo la gabbia al tronco di un peccio o sul poggiolo al sole e lui si divertiva a starnazzare nella sabbia di fiume che ogni settimana gli rinnovavo. Una mattina di febbraio mentre dentro il letto sognavo la primavera, sentii provenire dal basso un lieve gorgheggío: non c'era alcun dubbio, era lui, il merlo Marco (cosí lo avevo chiamato) che si era accorto della crescita dei giorni e per il fenomeno della luce sentiva ridestarsi in lui l'istinto amoroso.

A mano a mano che crescevano i giorni il suo canto aumentava e a marzo divenne pieno e robusto. Dopo il primo e antelucano chiacchierío e al *cià-ciac* dell'alba partiva con le sue melodie e mi cacciava dal letto. Lo appendevo sotto l'albero rivolto a levante oppure sul poggiolo verso l'orto e mi faceva compagnia nei miei lavori mattinieri che ogni tanto sospendevo per ascoltarlo o per portargli un lombrico.

Continuò cosí per tante stagioni e gli abitanti delle contrade vicine aspettavano e ascoltavano il suo canto. Anche chi passava per la strada molte volte si fermava ad ascoltarlo; lui sembrava divertirsi a lanciare un fischio per attirare l'attenzione e poi attaccava il suo *a solo* come un flauto chiaro e forte, melodioso e variato. Certe volte sembrava che per cantare neanche tirasse il fiato; si trascurava persino nel nutrirsi e quando in agosto arrivava il tempo di smettere era molto dimagrito.

Con il passare degli anni e con le mute aveva fatto qualche penna bianca e la sommità del capo era diventata canuta. Aveva incominciato nel 1983 con le due remiganti esterne e con le corrispondenti timoniere, e poi a ogni muta aveva aggiunto una penna bianca per parte. «Nonno, – diceva mio nipote, – il merlo Marco diventa come te».

Ma quest'anno aveva cantato piú di sempre e piú a lungo. Un giorno di questo luminoso ottobre, aveva già completato la muta ed era bello nel suo nuovo vestito nero listato di bianco, avevo appeso la sua gabbia al solito posto ed ero sceso in paese per le solite cose. Quando dopo poco ritornai, non sentii la sua presenza. Con trepidazione e quasi con angoscia salii sul sasso per guardare dentro la gabbia e la vidi vuota. Penne e piume e sangue erano sul fondo di sabbia; un paletto di legno era stato spezzato. Era stata una donnola? O un rapace? No, forse era stato un gatto, uno di quei gatti che rinselvatichiscono perché vengono abbandonati dai loro padroni.

Cani e fantasmi

Dicono che Cimbro era un cane che mi assomigliava, sia fisicamente che come carattere. Capita: a stare insieme si assorbe certo qualcosa l'uno dall'altro. Poi morí, anche se non era da considerarsi vecchio. Anche questo capita a chi nasce; morí rapidamente a causa di un male meccanico improvviso: rovesciamento dello stomaco seguito da collasso cardiaco. Almeno cosí diagnosticò il veterinario, e non c'era niente da poter fare per curarlo. Lo seppellii nel bosco dietro casa dove già c'erano altri tre cani. Era un mattino molto triste, il terreno era gelato, incominciava a nevicare.

Ma venne, come sempre, la primavera e, da lontano, un cucciolo di spinone. Come tutti era curioso e giocherellone: finí, persino, con mettere il naso sopra un nido di vespe germaniche, quelle che nidificano sotto terra e sono piuttosto aggressive. Medicai il cucciolo con gli antistaminici e si salvò. Cresceva anche bene, molto robusto, con le zampe che sembravano quelle di un orso; ma certe volte aveva dei comportamenti strani, come delle bizze improvvise e degli scatti nervosi.

Per molte notti di seguito non volle entrare nella cuccia e anche se era fresco preferiva dormire sul pancone a cielo aperto; sembrava, anche, da come la guardava, che avesse paura d'entrarci. Mi veniva da pensare: forse ha avuto la visita della donnola; e armai una trappola per catturarla. O forse ha avuto la visita del fantasma di Cimbro? A sentire il poeta Lucio Piccolo direi di sí.

Sul principio, con i temporali non dimostrava paura; ma

una notte che lampeggiò e tuonò lontano verso la pianura, si mise a ululare penosamente, terrorizzato. Mi alzai dal letto e lo condussi in garage, su una bella cuccia di trucioli; alla mattina trovai che aveva morsicato e distrutto un parafango della 127.

E venne l'autunno e potei portarlo a caccia su per la montagna. Incontrammo i galli forcelli in una radura tra i mirtilli e si comportò quasi come un cane esperto. Ne portammo a casa uno molto bello ed ero felice. Venne il tempo delle beccacce: ahi ahi! questo cagnone non le sentiva, non le cercava; mi pareva che persino il bosco gli fosse indifferente; la grande città, Roma, da dove proveniva, gli era entrata nel sangue da qualche generazione e a tal punto da fargli dimenticare l'istinto piú antico e vero.

Gli dicevo: «Non ti piace questo bosco e questa vita? Sarà perché sei ancora giovane ma l'anno prossimo ti ricrederai; ti renderai conto che un bosco con la pioggia, con i colori dell'autunno, l'odore della terra e degli alberi, le corse dei caprioli, le beccacce tra i cespugli e le foglie morte sono tra le cose belle che la vita ci può dare. Animo Ast!» (Questo è il suo nome).

Non volevo portarlo a caccia di fagiani, anche perché questa non mi piace, ma quando con un po' d'interesse annusava la traccia del capriolo lo tiravo via. Possibile, dicevo, che non senta le beccacce? Certe volte aveva un comportamento da cucciolo, veniva a fregarsi il pelo contro i miei pantaloni, ascoltava la mia voce, mi portava un pezzo di legno; i suoi occhi, però, restavano freddi e gialli, senza tenerezza o affetto, e quando gli prendeva la mattana faceva disperare me e i familiari.

Una notte masticò la rete del recinto e scappò: lo ritrovai tre giorni dopo a sei chilometri da casa e dopo aver lanciato appelli con la radio locale. A tenerlo in casa stritolava con i denti quanto gli capitava a portata di bocca e quando lo portavo nel bosco a cinghia lunga, qualche volta mi faceva cadere per gli strattoni che mi dava quando meno me l'aspettavo. Le analisi e le visite del veterinario lo confermavano sano. Io speravo che il suo carattere cambiasse, speravo che cambiasse ricercando le beccacce per un intero autunno.

Nell'ottobre scorso venne finalmente il mio turno per l'uscita a caccia in alta montagna. Per questa mia giornata fui sfortunato in quanto incappai in un maltempo di vento, pioggia gelida e, piú in quota, in neve sferzante. Mai mi capitò di affrontare una giornata di caccia cosí dura e sofferta.

All'alba, proprio al crepuscolo, alzai tre o quattro forcelli, ma non sparai anche se ero *quasi* certo che erano maschi e non femmine. Li ritrovai piú avanti nella tormenta e ancora non sparai perché solo il rumore del volo mi era traccia. Le mani erano indurite all'impugnatura e le canne della doppietta, a causa del freddo, bruciavano la pelle; i panni gelati indosso erano una corazza di neve. E il cane?

Il cane Ast si era appiccicato alle gambe e non si distaccava nemmeno di un metro: sempre lí con il muso nell'incavo delle mie ginocchia. Quando il vento e la neve davano un po' di tregua cercavo d'incitarlo, di farlo correre tra i pini mughi e gli ontani nani, di fargli cercare la selvaggina, insomma, come avrebbe dovuto fare un comune cane con un minimo d'istinto. Lo insultavo: «Sei un cane da parco cittadino e non da montagna!» Ma niente, non recepí nemmeno un odore di lepre bianca. Non sparai nemmeno un colpo e quando nel pomeriggio arrivai a casa, per sgelarmi mi ci vollero una doccia scozzese, un piatto di minestrone e una bottiglia di vino.

Passati i giorni della burrasca nevosa arrivarono le beccacce, i piú affascinanti tra gli uccelli. Ricordando l'anno precedente quando raccogliemmo il bel gallo vecchio e di come il cane Ast l'aveva incontrato, cercavo di scordare la giornata della bufera in quota e anche la seconda uscita a cui avevo rinunciato per la troppa neve che avrei dovuto calpestare. Speravo che nel *mio* posto tra radure d'abeti e faggi, tra muschi, mirtilli e graminacee e lo sterco estivo delle mandrie dove le beccacce affondano il becco per ricercare i ghiotti vermetti, il cane Ast avrebbe ritrovato quello che per una sola volta aveva sentito.

La pioggia aveva ammorbidito il bosco e la terra sprigionava il profumo raccolto dai millenni, il cane correva allegro e attento ai miei segnali, da lontano arrivava la voce allegra dei segugi sull'odore della lepre. Andavo silenzioso per il sentiero con tutti i sensi aperti: qui, dicevo, dovrebbero esserci, lo sento. Passai; il cane era a due metri, di fianco. Passò, e proprio da dove aveva posato i piedi volò via una coppia di beccacce.

Mi girai di scatto e sparai sulle due ombre. Svanirono nel bosco come un miraggio. Ma sapevo dove le avrei ritrovate, e le ritrovammo. Ma io volevo che lui, Ast, le ritrovasse. Ci lasciarono passare per poi involarsi alle nostre spalle, nel piú fitto, tanto che non potei vederle ma solo sentirle.

Camminammo ancora, per ore, in silenzio, evitavo rami secchi e pietre mobili, cercando di sopperire con la mia esperienza alla pochezza del cane. Ma anche loro avevano capito e ora non aspettavano che mi avvicinassi: s'involavano quando ero ancora lontano e sentivo solamente le loro ali frusciare nel bosco umido e gocciolante. Era come un gioco.

Per tre volte alla settimana e per tre settimane camminavo in questi miei boschi a cacciare le beccacce; ma con quel cane da parco cittadino non mi fu possibile raccoglierne nemmeno una. Poi il terreno gelò e loro volarono verso il Sud. Per la mia *comunione* annuale con la natura sparai due colpi a due cesene; le cenai la prima sera di neve con la polenta trentina e il barolo di Bartolo.

Gli amici, le fughe dell'asina Giorgia

Dare dell'asino a uno scolaro disattento o svogliato era uso comune; ai piú scaldapanche, poi, un tempo venivano messi anche dei giganteschi orecchi di carta; l'asino è stato sempre ingiustamente preso come simbolo di zotichezza, caparbietà e ottusità. Leggende, detti, proverbi nel corso dei secoli hanno fatto dell'asino un animale tra i piú, o il piú bistrattato, dall'uomo. Ma, anche, molte volte l'uomo per sua maligna natura infierisce sugli esseri piú miti e indifesi.

Per cambiare idea basterebbe osservare gli asini che seguono i pastori, o quelli che vanno per aride montagne con ghirbe o fasci di legna sui basti, o che girano le ultime norie per sollevare l'acqua dai pozzi, o quelli che nei paesi piú poveri servono da cavalcature poco chiedendo in cambio. Ho anche conosciuto un sant'uomo che agli amici che piú stimava dava dell'*asino* riservando il titolo di *signore* ai piú scostanti e inattivi.

Dopo aver scritto di alquanti animali, oggi proprio di un'asina mi viene da raccontarvi; dell'asina Giorgia che per tanti anni fu amica di tutti qui nella nostra contrada.

Era del Bepi dei Püne, il pastore che per l'età ha smesso di fare l'erratico ma ugualmente non può restare senza animali che impegnino i suoi giorni; cosí con un cane nero, Sbartz, e poche pecore volle tenere anche la vecchia asina che per quasi trent'anni l'aveva accompagnato per monti e pianure.

Grande di statura, canuta sulla fronte e sul ventre, insellata di schiena, gli zoccoli nudi di ferri erano duri come le pietre sulle quali camminava per salire le cime; gli occhi erano dolci e umidi ma a volte illuminati da un lampo di furbizia. Quando era sui pascoli qui attorno ragazzi e anche bambini si avvicinavano confidenti per porgerle tozzi di pane secco che lei prendeva delicatamente con le labbra senza far vedere i denti gialli e forti, ma anche ormai consunti per tanto masticare. Pure vetusta non solo masticava pane duro, ma anche carrube e noci che qualche villeggiante le offriva.

Ma come era mite e paziente con i bambini era anche amica del cane Sbartz e qualche volta giocavano: lui le prendeva con i denti la cavezza e la strattonava saltando o accucciandosi sulle gambe anteriori: lei faceva finta di arrabbiarsi calciando a vuoto con le zampe appaiate. Pure alle quattro pecore era affezionata e quando erano al pascolo s'accompagnava con loro e le guidava a rosicchiare ai margini del bosco.

Dove l'asina Giorgia dimostrava la sua qualità di animale sensibile e acuto era nel comportamento verso il padrone. Ricordo un inverno con poca neve che Bepi si era intestardito a dissodare qualche centiara in una valletta su un monte qui vicino. Era un luogo tutto sassi e cespugli, selvaggio e in ripida riva ma bene esposto al sole di mezzogiorno, tanto che la neve lí è sempre la prima ad andarsene ed è il primo posto dove a marzo cantano le allodole.

Quest'uomo, forse ultimo rappresentante di una generazione di montanari di una volta, quelli che lavorano molto bene e con passione legno, terra e animali, e che sanno raccontare tante storie, ogni mattina lo vedevo salire al monte con i suoi animali. Giunto alla riva solatía si levava la giacca e con metodo e senza fretta si chinava a roncare il terreno.

Se il cane nero e le pecore si allontanavano nei dintorni, l'asina si fermava a fargli compagnia e stava per delle ore sulle quattro zampe a guardarlo lavorare curvo sulla terra. Lui a volte parlava e gesticolava da solo e con il capo seguiva il soliloquio, l'asina allora lo seguiva anche lei muovendo la testa e le orecchie, o alzando una zampa o le labbra. Quando poi suonava la campana del mezzogiorno e Bepi non la sentiva (è un po' sordo), la Giorgia gli ragliava forte indicando con il muso la casa giú nella contrada dove fumavano i camini ed erano pronti in tavola il minestrone e la polenta.

Ogni anno l'asina si prendeva alcuni giorni di libertà. Bepi dice e sostiene che era lei ad aprirsi la porta della stalla manovrando con la bocca lo spago del saliscendi; invece c'era un accordo tra i due perché al tempo giusto una sera lui accostava la porta senza mettere il paletto e in quella notte l'asina se ne usciva per camminare le antiche strade della transumanza verso le montagne piú alte. Cosí la moglie e i figli di Bepi erano costretti a lasciarlo andare alla ricerca dell'animale.

Restavano via da casa quattro o cinque giorni girando dall'una all'altra posta delle greggi e sostando con gli amici senza mai incontrarsi, finché da finto arrabbiato Bepi la ritrovava come a un appuntamento alle Grotte dei Cuvolini, ai piedi di Cima XII. Questo accadeva in luglio, dopo la fienagione a cui l'asina cooperava alacremente trasportando il fieno dai prati piú lontani al fienile di casa.

L'altra fuga avveniva in settembre, nel tempo che i pastori scendevano dai pascoli alti e sostavano nelle materne contrade prima di avviarsi alla pianura. La Giorgia andava a salutare i compagni e le compagne attraversando una valle e fermandosi nei paraggi dell'*Osteria della Campanella*; dove Bepi la ritrovava avendo cosí occasione di sostare un giorno con gli amici pastori.

Nel tempo di carnevale qualche volta dei buontemponi paesani venivano a prendere l'asina per fare festa assieme, e la portavano in maschera negli alberghi e nei caffè del centro; la spingevano anche a bere: assaggiava un po' di vino o di birra, mangiava un dolce o un biscotto e quando gli accompagnatori erano traballanti sulle gambe e non sapevano ritrovare la strada di casa lei li lasciava e tranquilla riprendeva la via per le nostre contrade senza sbagliare un bivio, fermandosi solamente davanti alla porta della sua stalla.

In questi ultimi anni la Giorgia era diventata vecchia e sdentata, grigia e con il ventre gonfio; ormai le era riservata ancora poca vita e Bepi, quando erano soli, le parlava con la saggezza di chi ha visto tante cose e aspetta la fine.

Un inverno vennero gli artiglieri di montagna a fare il campo mobile e un pomeriggio di febbraio scesero con i muli lungo la strada sotto casa. Questi muli erano veramente animali splendidi, alti, pieni di vigore e di giovinezza, lucidi di pelo e briosi nel passo; camminavano sulla neve come danzando. Anche Bepi dei Püne li vide dalla sua casa e allora andò nella stalla, prese per la cavezza la sua vecchia asina e la condusse a vedere i muli della naia che passavano con i loro carichi.

Per un po' li seguirono; poi, anche, li precedettero per una scorciatoia sicché tutti sfilarono davanti a loro due che immobili e in silenzio stavano su un ponticello. Artiglieri e muli capirono il momento e nessuno osò lanciare frizzi o suoni ironici.

Stettero lí a seguirli con lo sguardo anche dopo che erano passati l'ultimo mulo e l'ultimo conducente, e quando ritornarono verso casa anche l'asina Giorgia aveva due lucciconi che le scendevano dagli occhi.

Tracce sulla neve

In questi giorni non si fa che parlare del gran freddo che scende dal Nord, e ci si chiude in casa, e si fanno andare in ebollizione le caldaie dei riscaldamenti, e si guarda alla televisione le nevicate che fermano le città.

Stamattina il termometro dietro casa segnava –18°, ma ormai ho tanti anni da ricordare i –27° del 1929; e quando nel gennaio del 1942 qui in paese si era arrivati ai –31° che fecero gelare l'acqua nelle condutture, ero in viaggio per la Russia dove c'era il grande benefico e miracoloso freddo dei –40° che, insieme con l'ombra del vecchio Kutúzov, fece fermare le armate di Hitler alle porte di Mosca.

Allora, nell'inverno piú freddo di questo secolo, eravamo in viaggio con un treno che si congelava e che ogni tanto doveva fermarsi in qualche stazione della Germania, della Polonia e dell'Ucraina per far sciogliere il ghiaccio che bloccava i freni, le latrine e gli impianti di riscaldamento. Un problema era pure il rifornimento dell'acqua perché le fontane e le pompe erano colonne di ghiaccio. In queste soste gli alpini del battaglione sciatori *Monte Cervino* uscivano dai vagoni con gli sci e poi correvano via a riscaldarsi su quelle pianure dove la neve è sempre secca e ventosa: i tedeschi, i polacchi e gli ucraini guardavano stupiti questi *talianski* cosí indifferenti al freddo e confidenti con la neve.

Non sapevamo che a Leningrado assediata la gente moriva di freddo e di fame, che i soldati tedeschi perdevano i piedi perché avevano gli stivali stretti, e che nei boschi innevati e freddissimi che vedevamo dal treno rivestito di ghiaccio, si nascondevano i partigiani che ogni tanto facevano saltare i binari. Che freddo quel gennaio del 1942! Al confronto questo di ora sembra primavera.

Nel 1951, almeno qui da noi, ci fu pure un grande freddo. Cesene e beccofrosoni affamati erano venuti a cercare cibo attorno alle case e fino sulla piazza del paese, e le volpi dentro le stalle. Per piú di un mese la temperatura nelle ore di massima insolazione non saliva oltre i −13°, mentre di notte scendeva tra i −20° e i −25°. Non era proprio rigidissimo, come freddo, ma lungo il periodo, perché lentamente, giorno per giorno e notte per notte, il gelo penetrava nelle case e nel suolo, e per scioglierlo ci vollero molte piogge di primavera.

Oggi nella mia stanza di lavoro ho il giusto tepore ma ho anche aperto la finestra per cinque minuti sul bianco della neve e sullo splendore del sole per sentire il canto delle cince e per far uscire le tre mosche che, svegliate, sono sbucate dal tavolato per ronfare sui vetri interni (quelli esterni sono ricoperti da arabeschi di ghiaccio). Le tre mosche cacciate sono andate a finire qui sotto sulla catasta della legna e lo scricciolo è arrivato subito a mangiarle.

Buon appetito scricciolo! Dopo questo antipasto porterò a te e ai pettirossi dei pezzettini di lardo; ai merli offrirò briciole di pane e qualche tagliatella; ai corvi le croste della polenta. Non so, invece, cosa portare al falconide che ho intravisto fuggevolmente. (È uno sparviero? Sembra di sí dalla misura, dalla forma e dal colore delle penne). Gli andrebbe bene qualche fegatino, ma lui saprà bene arrangiarsi con le arvicole e i topi perché, l'ho capito dalle tracce sulla neve, non caccia in volo come suo uso e costume ma, per questo freddo che tiene ferme attorno alle case le sue prede, cammina sornione e si apposta sotto i cespugli e i piccoli abeti, immobile tra la neve, in attesa dell'incauto. Ma non so se i due scoiattoli sapranno difendersi da lui. Staremo a vedere.

Laggiú, dall'altra parte della conca, a cinque chilometri in linea d'aria, osservo la contrada da dove quasi sessant'anni fa il mio compagno di banco e i suoi coetanei, in mattine ancora piú fredde di queste, partivano da casa ancora prima dell'alba e per un sentiero tra la neve attraverso boschi e pascoli giungevano a scuola ancora prima di noi del centro.

Mantelline e passamontagna militari, scarponi chiodati, guance rosse come mele e occhi sempre ridenti e, tra i libri e i quaderni, due patate cucinate sotto la cenere del focolare. Le mettevano alla sera prima di andare a letto e al mattino erano cotte. Entrati in aula, con il pennino si rompeva il ghiaccio del calamaio e si incominciava a scrivere: «Analisi grammaticale...» In quella contrada ci sono impianti di risalita, alberghi; per i nipoti del mio compagno di banco passa lo scuolabus e nelle cartelle alla moda i ragazzi hanno le merendine confezionate e, a scuola, troveranno le videocassette. Meglio cosí.

Oggi, nell'ora meno fredda, sono uscito a fare un giro nel bosco per leggere sulla neve quello che era successo questa notte. La Bulka ha abbaiato molto, ma non era per il plenilunio: quando abbaia alla luna ha altra tonalità e altro tempo, anche quando richiama i cani vagabondi ha altro tono; quello di questa notte è di quando sente o vede animali selvatici. Per questo suo avviso ero uscito dal letto per spiare attraverso la finestra. La neve rifletteva un lunar molto luminoso e altrettanto freddo; guardavo le ombre sulla neve per sapere se qualcosa si muoveva: non riuscii a vedere ombra né di volpe, né di lepre, né di gufo. Bulka abbaiava sommessa e attenta. «Sono dentro il bosco», pensavo.

Il bosco oggi è come potrebbe essere in Siberia o in Canada; poca la neve ma in cristalli minutissimi anche sui rami e sui tronchi, non vaporosi, appariscenti e luminosi come quando nevica sugli zero gradi e poi si rasserena; questa apparenza e sostanza è di neve che cade con temperatura sui $-15°$ e che poi ancora si abbassa.

Ieri, quando avevo intravisto lo sparviero, le lepri non erano uscite (noi diciamo «saltate») dai covi e solamente una volpe aveva transitato diritta verso la contrada. Oggi no, oggi ho letto molte cose in meno di un'ora. Intanto lo sparviero non è riuscito a catturare gli scoiattoli, perché dopo aver visto sulla neve i segni appaiati delle zampine unghiate e i resti rosicchiati degli strobili, li ho sentiti sopra un abete. Lo sparviero, invece, ha fatto pranzo con un topo che ha catturato in uno slargo dove erano stati abbattuti degli alberi l'autunno scorso.

Ma la volpe ha camminato molto ed era lei che aveva fatto abbaiare la Bulka. Ha girato in lungo e in largo seguendo le tracce del lepre. Ho potuto vedere dove lui era a quatto, dove aveva mangiato i germogli di rosa canina (finora non ha affrontato le foglie di verza che per lui ho messo dietro casa), dove ha raschiato la neve, dove ha orinato; e la volpe sempre dietro ai suoi segni come facevo io. Ma nel folto non sono entrato: ho guardato da fuori dove erano usciti perché lí dentro non era piacevole entrare con questo freddo e con la neve che ti sarebbe caduta tra collo e camicia. Insomma mi divertivo e mi riscaldavo.

Alzai dei corvi affamati, incrociai la traccia di una donnola. In una radura piú in alto lessi che la volpe aveva abbandonato la caccia al lepre e che era discesa nuovamente verso le case in cerca di prede piú facili. Il lepre, piú avanti, aveva fatto il «nodo» e i «salti»: era certo poco lontano da dove mi trovavo e pensai di lasciarlo in pace. Invece appena mi mossi balzò fuori da sotto i piedi, da tre abetini rachitici e infreddoliti, corse via diritto a grandi balzi come volando sulla neve e sul gelo.

Scampanio profano

Da ragazzo ho conosciuto qualche compaesano che ancora ricordo nel comportamento laico, sia nei confronti della Chiesa che del regime. Erano per lo piú artigiani, fabbri, sarti o barbieri, che nel 1895 e per qualche anno successivo, avevano preso delle iniziative che allora fecero molta risonanza; e non solo da noi. La storia di questi miei compaesani che venivano considerati dei rivoluzionari l'avevo anche sentita dal sarto «civile e militare» e come origine aveva i festeggiamenti che si facevano il 20 settembre, in ricordo della Breccia di Porta Pia. Da qui il loro nomignolo di «settembrinï».

Motivo di quella che divenne una lunga disputa prima amministrativa e poi giudiziaria, fu l'esercizio delle campane che, per antica tradizione, era considerato dalla nostra gente un diritto di uso civico. Era allora arciprete un nostro conterraneo che, scrive un biografo, era «... imponente d'aspetto, anima candida e carattere adamantino», ma, da buon montanaro, anche molto testardo. Questi, nel 1848, a diciott'anni, aveva partecipato ai moti rivoluzionari contro l'Austria, guai però a toccargli il potere temporale, e come tanti italiani allora considerava il papa «prigioniero» a Roma. E poi gli bruciava ancora una causa che aveva perduto contro la Società Operaia di Mutuo Soccorso che aveva osato portare furtivamente in chiesa la propria bandiera in occasione di una funzione di suffragio per i caduti di Dogali.

Il 20 settembre del 1895 l'Amministrazione comunale non aveva intenzione di festeggiare la data in modo particolare, ma sotto la spinta della popolazione del centro, e soprattutto da parte di alcuni giovani artigiani, la giunta decise l'esposizione delle bandiere, un'offerta per un pranzo ai poveri, di mandare un telegramma a Sua Maestà il Re e di chiudere la giornata con un grande concerto all'unisono con la Società Filarmonica Cittadina, la Banda municipale e la fanfara della Società Operaia: tutti in grande armonia dimenticando per una volta antagonismi e rivalità.

Come in occasione del genetliaco dei sovrani, la giunta comunale chiese che quella sera venissero suonate a festa le campane; ma a questo il nostro arciprete si oppose, motivando che solo in caso di necessità: incendi, trombe d'aria, riunione del Consiglio comunale, aste di legname il potere civile poteva usare le campane. In tutti gli altri casi era lui, ossia l'autorità ecclesiastica, a decidere l'uso; e davanti al messo del Comune si fece consegnare dal campanaro le chiavi del campanile.

Ma quella sera il popolo, forse anche animato dal grande concerto patriottico e da qualche bicchiere di vino, insisteva nel volere anche il suono delle campane e con il facente funzioni di sindaco si presentò davanti alla canonica richiedendo a gran voce le chiavi del campanile. Di fronte a questa manifestazione l'arciprete fu costretto a cedere, anche perché erano decisi a forzare la porta e il fabbro Tümmelar aveva con sé i ferri e in tasca una lettera firmata dall'assessore anziano e dal Commissario Distrettuale: «La si autorizza a provvedere all'apertura della porta della torre maggiore allo scopo di aderire al desiderio della popolazione per suono festivo delle campane. Asiago, 20 settembre 1895, ore sette pomeridiane». Quella sera, fino a notte tarda, le nostre campane suonarono a distesa per ricordare l'ingresso dei bersaglieri a Roma.

L'arciprete non seppe e non volle lasciar perdere l'affronto e, con gli avvocati, fece esposto alla Prefettura; invece il Consiglio comunale approvò a grande maggioranza l'operato della giunta, confermando l'antico diritto della comunità sull'uso delle campane. Incominciò da qui prima un iter burocratico e poi una causa civile che si trascinò fino alla Cassazione. Il Comune a suo discarico portava i «capitolati dei campanari» del 1675 e lo *Jus patronatus*; l'arciprete una bolla pontificia del 1580 e una convenzione tra il vescovo di Padova e i governatori del nostro libero comune risalente al 1579.

Intanto che gli avvocati e le pratiche burocratiche percorrevano le loro tortuose strade, tutti i coscritti, prima ancora che arrivasse la Commissione di leva, s'imponevano al povero campanaro per suonare a distesa «...con pericolo della rottura delle campane, stante la loro inesperienza». E l'arciprete scrisse un rapporto all'autorità «...che questa cosa l'avrebbe proibita in base a decreti e sentenze già emesse, consentendo lo scampanio soltanto la vigilia dell'estrazione a sorte, ma sotto la diretta sorveglianza del campanaro».

Il nostro arciprete visto respinto il suo ricorso per lo scampanio del 20 settembre dall'autorità amministrativa, appoggiato dal vescovo di Padova, si rivolse al Ministero, e questi rispose che per ragioni di procedura doveva esporre il suo caso «con ricorso straordinario a Sua Maestà il Re». La IV Sezione del Consiglio di Stato sentenziò che l'arciprete doveva rivolgersi all'autorità giudiziaria e non amministrativa. Erano trascorsi due anni e il tenace e testardo arciprete intraprese l'azione giudiziaria.

Nel frattempo il 20 di settembre del 1900, dopo che il Tribunale di Bassano e la Corte d'Appello di Venezia avevano dato perdente l'arciprete, dei giovani si misero a chiassare per la piazza dove si affacciavano la canonica, il palazzo dell'ex Reggenza dei Sette Comuni ora sede municipale e degli uffici statali, il museo, il Circolo Alpino, il campanile. A questo punto il Regio Commissario Distrettuale ordinava di aprire la porta del campanile che «venne invaso dalla folla dei dimostranti, i quali si sbracciarono a suonare sino a notte inoltrata».

Anche l'anno dopo, nella ricorrenza di Porta Pia, si ripeté lo scampanio e l'arciprete nei suoi ricorsi scrive: «...il fatto arbitrario, illegale, violento e, quel che è piú, unico in tutti i comuni del Regno, del suono delle campane per solennizzare la festa civile del 20 settembre, si è per la terza volta rinnovato nel testé decorso anno 1901...» Questa volta era stato il sindaco ad aprire la porta del campanile, con le chiavi che si era fatto fare da un fabbro. L'arciprete «dalla veneranda canizie» minacciò l'interdetto e fece chiudere, ma solo per un giorno, le porte della chiesa.

Nel dicembre del 1902 la Corte di Cassazione a sezioni riunite emanava la sentenza: all'arciprete spettava il diritto di regolare, disporre e usare le campane della chiesa; l'uso di queste al Comune spettava solamente in caso di incendi, cattivo tempo, convocazione del Consiglio comunale, chiamata alle scuole, esazione delle imposte. Il Comune veniva condannato a pagare due terzi e l'arciprete un terzo delle spese processuali. A ricordo di questi fatti, nel 1907, all'interno della chiesa arcipretale venne murata una lapide che cosí termina «...Domenicus Bortolis Archipes | Iuris vindex | Ad perpetuam rei memoriam | Titulum posuit».

Le campane della contesa suonarono con disperato allarme, e per l'ultima volta, il 16 maggio del 1916, quando l'Altipiano venne incendiato, abbandonato e distrutto per i fatti della Grande Guerra; il vecchio e canuto arciprete, con le lacrime agli occhi, abbandonò con gli ultimi il paese e morí profugo la vigilia di Natale del 1917, guardando da lontano le amate montagne natie. Sul mio tavolo un pezzo di campana raccolto nel 1919 tra le macerie del campanile mi rammenta anche queste storie.

Il tesoro negli stivali

Andavo, un pomeriggio, a zonzo per i pascoli e le colline assieme al mio cane e quando arrivammo nei pressi della contrada Stöcke lo rimisi al guinzaglio perché, sui prati appena sfalciati, pasturavano le galline. Avvicinandomi alle quattro case notai una grossa pietra squadrata che faceva da gradino all'entrata di un orto. Sempre le grosse pietre che portano i segni del lavoro umano mi affascinano, e rimasi sorpreso nel vedere su questa incisa una data, «1602», che per la nostra piccola patria, dove la Grande Guerra ha tutto sconvolto, è una data abbastanza remota.

L'orto era di due coniugi che, davanti alla loro casa, stavano godendosi il sole di fine estate. Ci salutammo e incominciammo a parlare dei parenti che sono in Australia, della pietra con quella data scolpita che, a loro memoria, sempre ricordavano di aver visto in quella posizione e, anche, della Grande Guerra e delle loro vicende di profughi.

Mi raccontarono di un soldato austriaco che avevano trovato morto dissanguato, appoggiato al muro tra le rovine della loro cucina; da come stava, era da supporre che i suoi compagni non avessero fatto in tempo a portarselo in salvo, e questo era accaduto forse nell'ultimo combattimento, il 2 o il 3 di novembre del 1918. Ma mi raccontarono, anche, che tra le rovine della loro vecchia casa, dove le mura erano larghe come quelle di una fortezza, al di là di una parete era apparsa una piccola stanza con un rustico letto e una breve galleria dentro la roccia, e qui rinvennero un piccolo forno fusorio, crogioli, cazze e stampi ormai irriconoscibili assieme ad altri oggetti abbandonati. Questa stanzetta, la caverna e il forno e i crogioli fecero loro ricordare quello che avevano sentito da ragazzi: di un uomo, loro parente, che nella contrada viveva fondendo di nascosto veri talleri d'argento. Questa storia mi incuriosí, e ricercai indietro nel tempo, nella memoria dei piú vecchi.

Allora eravamo dentro quei confini che dal Ticino arrivavano oltre Leopoli, una specie di Comunità Europea ante litteram; i nostri compaesani andavano a lavorare per tutti questi vasti paesi senza bisogno di passaporto, bastava il certificato di battesimo. C'erano quelli che andavano a costruire ferrovie giú per i Balcani, altri in Ungheria con i cavalli lungo i canali per l'irrigazione, altri nelle miniere di Boemia e di Slovacchia. Guido, o Veit, cosí indifferentemente si chiamava quest'uomo, ancora da ragazzo era partito per le miniere d'argento di Banskà Stiavnica; incominciò come porta-acqua, passò poi a caricare e scaricare il minerale grezzo, quindi a scavare nelle gallerie d'avanzamento fino a diventare capoturno. Ogni tanto gli capitava di soppesare tra le mani un bel pezzo di argentite grigia e opaca e gli veniva da immaginare i talleri che da quel pezzo informe si sarebbero ricavati.

All'uscita della miniera il minerale veniva frantumato, tagliato, macinato ancora un paio di volte, lavato e, infine, fuso e coppellato: il risultato era un bel metallo suonante e lucente. Dopo anni e anni di lavoro, anche Guido, o Veit, venne messo a coppellare l'argento e in questo divenne subito molto bravo. Ma sovente gli veniva da pensare a quando, per l'età o per nostalgia, sarebbe stato costretto a ritornare nella sua contrada, al di là delle pianure, dei fiumi, dei monti; e ogni sera, come una formica, si portava nel suo alloggio un briciolo d'argento che diligentemente nascondeva. Cosí per tanti giorni dell'anno e per qualche anno, e quando decise che era arrivato il momento di ritornare a casa, studiò il modo di portare con sé il piccolo tesoro.

Non si sentiva tanto in colpa per questo furto; infine i signori Fugger, famosi banchieri di Augsburg che secoli addietro avevano avuto in concessione la miniera da Ferdinando II e che erano diventati i piú ricchi dell'impero, avevano sfruttato il lavoro della povera gente, anche il suo, e questo paio di chili che era riuscito a mettere da parte era il suo «vitalizio» per i giorni che gli sarebbero restati da vivere in pace, nella sua contrada, nella vecchia casa. Pensa e ripensa, decise di fare due lastre d'argento a forma di suola di stivali, e di mascherarle, appunto, tra sottopiede di pelle e suola di cuoio che poi ben bene imbullettò. Gli stivali erano diventati un po' pesanti e affaticavano il cammino, ma considerando che ciò derivava da un peso prezioso, anche il passo era allegro. Un autunno si mise in cammino e a Natale arrivò a casa.

Per quell'inverno e anche per qualche stagione che venne dopo, aveva qualche tallero che gli consentiva una vita, se non certo agiata, serena e tranquilla: poteva comperarsi qualche treccia di tabacco di contrabbando, una mezza bottiglia di grappa, bere qualche bicchiere di vino con gli amici alla domenica dopo la Messa, o durante qualche partita a carte in osteria. Aveva anche il tempo di far provvista di legna per l'inverno, di coltivarsi l'orto, forse quello con la pietra segnata «1602», e di godersi lo spettacolo del mondo.

Ogni due o tre mesi, il sabato, giorno di mercato, andava al banco del cambiavalute, faceva risuonare un tallero sulla lastrina di marmo, il vecchio Brazzale pesava la moneta dopo aver sentito il suono e gliela cambiava in lire e centesimi di Vittorio Emanuele. Ma prima che finissero, un giorno andò in pianura a procurarsi un crogiolo e un pesamonete come quello del cambiavalute, qualche piccolo attrezzo; andò anche a Vicenza da un fonditore di medaglie per vedere l'arte della fonditura a «cera persa».

Ritornato a casa fece gli stampi e dopo molte prove e riprove, tempo ne aveva, l'inverno era lungo ed era piacevole restare al caldo, incominciò a sciogliere i metalli nella proporzione richiesta dalla legge: 920 di argento e 80 di rame. C'erano i talleri e i mezzi talleri, quelli di Maria Teresa e di Francesco Giuseppe, i talleri *convenzionati* di principi-vescovi e di granduchi. Ma al nostro uomo venivano bene quelli di Francesco Giuseppe con il volto giovane, quasi da ragazza, con una corona d'alloro attorno al capo e un nastro sulla nuca, datati 1856, con la scritta in latino e sul rovescio lo stemma degli Absburgo con l'aquila a due teste sotto un'unica corona e che in una zampa teneva la spada e nell'altra il mappamondo sormontato da una croce.

Dopo averlo fuso, lo lucidava ben bene con un pezzetto di pelle di coniglio, controllava il peso e il suono e, prima di cambiarlo dal vecchio Brazzale, lo teneva per qualche mese in una tasca per dargli il colore di usato: non era un tallero falso, ma vero per peso e qualità. Andò avanti cosí, una stagione dopo l'altra, e forse Guido, o Veit, come indifferentemente veniva chiamato, terminò i suoi giorni quando finí l'argento che aveva rubato nella miniera di Banskà Stiavnica in Slovacchia.

Fanfare d'amore

La vecchia caserma sta crollando; era stata ricostruita sulle macerie della Prima Guerra mondiale e generazioni di alpini lí avevano prestato servizio. Ultimi, in ordine di tempo, furono gli artiglieri da montagna con i loro muli, gli obici someggiati, le marmitte da campo, la paglia: cose che sembrano antiche ora che i satelliti girano nello spazio attorno alla Terra, e con una certa malinconia viene il confronto di quando mio nonno in quella caserma era acquartierato ai tempi di Umberto I. Suo padre, il bisnonno, era ritornato al paese nel 1866 dalla Pretura di Portogruaro dove era stato giudice dell'I. R. Governo austroungarico; non volle riprendere servizio sotto il Regno d'Italia perché aveva prestato giuramento a Francesco Giuseppe e cosí preferí avviare i figli negli antichi commerci.

La casa dei miei era a trecento metri dalla caserma e mio nonno, caporal maggiore di Stato Maggiore, dirigeva la fanfara del battaglione. Aveva anche composto delle marce, e commovente fu la sorpresa quando durante la mia naia il maresciallo maestro di banda fece suonare un pezzo che portava il suo nome e la data del 1884. Chissà ora dove saranno andate quelle note. Per l'aria dei monti, nel cielo, nello spazio dove nulla va perduto.

Quand'ero ragazzo mio nonno mi raccontava di queste cose, del suo servizio di leva che durò tre anni, del suo cappello a bombetta con la penna diritta dentro la nappina verde del battaglione *Val Brenta*, dei gradi che dai paramani salivano a ghirigori lungo la manica oltre il gomito, delle nappe e dei cordoni di seta sulle spalline, delle ghette; ma soprattutto della sua tromba lucente e squillante.

Alla mattina di buon'ora quando i plotoni attraversavano il paese per andare in marcia lungo i confini o al Prà del Bersaglio per i tiri e ancora, tranne i fornai, tutti dormivano, passando davanti alla casa della sua innamorata spalancava la porta e a tutto fiato dava tre squilli di tromba che facevano tremare i muri. E poi via allegro con la sua fanfara a far suonare nelle prime luci dell'alba quell'aria del *Don Giovanni* di Mozart che poi divenne «*Sul ponte di Bassano là ci darem la mano*». Ogni mezzogiorno sua sorella, che allora aveva diciotto anni, gli portava in caserma il pranzo da casa; entrava tranquilla e la sentinella salutava.

Ma un giorno un soldato nuovo osò importunarla con un fischio seguito da un lazzo pesante; gli altri soldati sospesero per un attimo di mangiare il rancio, mio nonno non disse una parola ma i suoi occhi erano molto eloquenti; e il giorno dopo quel soldato partí per la guarnigione della caserma difensiva sul Monte Hinterrucks.

Anche questa caserma difensiva è diroccata, e per le cannonate della Grande Guerra e per i tiri a proietto delle esercitazioni che ne facevano bersaglio attorno agli anni Trenta. Questi ruderi i gitanti e i turisti li credono resti di un castello medievale e i ragazzi che vi arrivano in motocicletta forse vi fantasticano su chissà che storie. Invece non c'è piú niente: cespugli e boschi che ricrescono sulle macerie e queste parole che risalgono dalla memoria dopo che ho visto la caserma degli alpini in demolizione.

Un giorno, mi raccontava mia madre, forse era successo nel primo inverno del XX secolo, un reparto di alpini in perlustrazione verso la frontiera si perse nella tormenta. Non rientrò nel tempo previsto e tutti in paese furono in allarme: forse gli alpini erano sconfinati e i gendarmi austriaci li avevano presi, o avevano trovato rifugio in qualche malga, magari si erano invece fermati in un'osteria della Val di Sella a bere con i doganieri che loro ben conoscevano per storie di contrabbando. O erano finiti sotto una valanga? Cosí partirono alla ricerca i compaesani esperti di confini, i carbonai che conoscevano ogni angolo delle intricate distese di pino mugo e i soci del *Circolo Alpino* ricolmi di amor patrio.

Dopo tre giorni di ricerche li trovarono in mezzo alla neve che continuava a vorticare dal mulino del cielo; il plotone aveva trovato rifugio in un baito di pastori (naturalmente i pastori erano giú per le basse) ed erano sfiniti perché rimasti senza cibo. Rifocillati a dovere rientrarono tutti in paese dove uno dalla gamba lesta aveva portato la buona notizia del ritrovamento. Ci fu allora grande festa con la guarnigione schierata a rendere gli onori, suono di campane, la banda cittadina, il sindaco, l'arciprete, le scolaresche con bandierine di carta. Le osterie andavano a gara per offrire agli avventurosi salvati e salvatori cibo e bevande in abbondanza. Tutti i ragazzi della sesta e settima classe elementare ebbero come tema l'avvenimento e i migliori furono premiati.

A quel mondo è legata anche un'altra storia, breve e semplice, che se non la racconto va perduta. In una valle interna delle mie montagne dove passavano solamente contrabbandieri, pastori e cacciatori, e per qualche mese d'estate i carbonai a produrre carbone dolce di mugo, dopo un'erta salita che fa baciare le ginocchia, c'era una sorgente d'acqua limpidissima che usciva dalla roccia, e buttava sempre, anche nei periodi di grande siccità.

In quei luoghi riarsi era come un'oasi e nei secoli passati persino gli orsi avevano scelto quel luogo, e la roccia sovrastante si chiamava Pearôstëla: Roccia dell'Orsa. Quando in estate gli alpini salivano in escursione era quello il luogo dove sempre facevano sosta i muli che seguivano con il rancio sui basti; una pausa per l'abbeverata, per una pipata per i conducenti, e via verso i Rivoni della Cima XII.

A comandare quei conducenti era un sergente innamorato di una nostra compaesana; ma questa era figlia del medico condotto e per un sergente dei conducenti non era facile avvicinarsi. Dovevano guardarsi da lontano, o fingere fortuiti incontri durante il concerto della banda alla domenica pomeriggio, o alla sagra di San Rocco. Ma lui sempre si portava nel cuore quella cara immagine seguendo i muli su per le montagne verso i confini della patria; e lei la sua, mentre ricamava o accompagnava il padre nelle visite.

Un giorno il sergente innamorato pensò di parlare al comandante per un progetto che aveva in testa: voleva, con l'aiuto della squadra zappatori, raccogliere l'acqua della sorgente e incanalarla in vasche di cemento in modo che fosse comodo raccoglierla per ogni uso civile e militare: per i pastori, per i cacciatori, per i carbonai, per i muli degli alpini. Il capitano fu d'accordo e cosí una mattina partirono con il cemento sui basti e gli zappatori al seguito. Lassú sassi ce n'erano a volontà.

Il lavoro venne bene, l'acqua raccolta si spandeva limpida e fresca nelle tre vasche che si susseguivano; nella prima che raccoglieva il getto dalla roccia, sul cemento ancora tenero, il sergente scrisse in belle lettere il nome dell'amata: «Questa, – disse, – si chiamerà per sempre Fontana Ida e non piú Acqua dell'Orsara».

In quello stesso autunno il padre della ragazza, che era anche appassionato cacciatore di pernici bianche, salí per quella valle solitaria e rimase perplesso al vedere la fontana con quel nome inciso nel cemento e volle sapere il perché. Il suo cuore si commosse, permise al sergente di incontrarsi in casa con la figlia tre volte alla settimana e qualche anno prima della Grande Guerra si sposarono.

Gli anni, i geli e i disgeli hanno sgretolato quella prima fontana; quest'anno gli operai forestali l'hanno ricostruita, è ancora chiamata *Fontana Ida* ma piú nessuno si ricordava perché.

Rivogliamo le nostre campane!

In un angolo dell'Altipiano, attorno al secolo xv, si stabilí della gente alquanto strana perché per carattere e usanze poco assomigliava agli altri abitanti. Forse in origine erano un paio di famiglie di carbonai e tagliaboschi provenienti dai territori absburgici degli slavi del Sud.

Ma quello che piú distingueva questa gente era l'indole delle loro donne, di spirito forte e spregiudicato, e che fin da piccole erano use seguire la tribú nelle emigrazioni stagionali per i boschi, e non certo con mansuetudine e sottomissione. Una caratteristica di queste era anche il loro modo di parlare, con voce alta e aperta, cantante e sibilando le palatali; modo forse dovuto all'abitudine di chiamare gridando i nomi dei figli o dei padri o dei mariti che lavoravano lontano dai provvisori focolari.

Raccontava il mio padrino che quasi cent'anni fa capitò in questa remota frazione un curato padovano, forse qui confinato per qualche mancanza. La vita gli fu subito dura perché gli sembrava di essere capitato fra i selvaggi, ma quello che gli era insopportabile era la parsimonia cui era costretto a causa della povera prebenda che gli passava l'arciprete. Questo curatino, poi, non si degnava ai lavori manuali come coltivare l'orto, raccogliere la legna, falciare i prati, allevare animali da cortile o andare a caccia, e cosí, nel giro di un paio d'anni si indebitò al punto che i creditori, prima di mandare in protesto le cambiali, si rivolsero al vecchio arciprete.

Nell'animo di monsignor Parbacco, cosí lo chiamavano

i parrocchiani per il suo intercalare, si scatenò un temporale: un suo curato che firmava cambiali che poi non onorava! Fare questo a lui cosí scrupoloso e ligio delle cose pubbliche e private, chieșa e municipio, fino al punto di denunciare alla giustizia del Regno quei matti di compaesani che il 20 settembre 1895 si erano permessi di suonare a stormo i sacri bronzi per ricordare Porta Pia.

Ma il nostro monsignor Parbacco pagò le cambiali e in cambio dei soldi sborsati mandò una guardia e un paio di uomini con carro e cavallo a prendere le tre piccole campane che lui aveva donato a quel remoto villaggio. Le fece riportare in canonica e poté farlo perché tutti quei villici erano per le foreste della Slovenia, della Stiria e della Carinzia per i loro lavori e nelle case sempre aperte erano rimasti solo i vecchi invalidi.

Quando quella gente nel tardo autunno ritornò per svernare non sentí piú le tre campanelle a scandire le fasi della giornata e le donne, venute a sapere come stavano le cose, si diedero la voce da casa a casa per una riunione.

La domenica mattina di buon mattino si radunarono tutte davanti all'*Osteria del Brusomolin* e da qui a piedi e tirandosi appresso tre carrettini vuoti presero la strada che per boschi e pascoli porta al capoluogo. Vi arrivarono dopo due ore di marcia e vociando e, lanciando frasi come «Rivogliamo le nostre campane» e «Che il curato si paghi i suoi debiti», risalirono la via principale fino alla Piazza del Mercato dove la domenica mattina la gente si incontrava a parlare; da qui, seguite dai curiosi, si portarono alla Piazza della Reggenza dove a far angolo agli antichi palazzi della Comunità dei Sette c'era anche la canonica.

Le donne si fermarono sotto le finestre e come fossero nella foresta a chiamare i loro uomini si misero a gridare i nomi delle campane a gran voce (tutte le campane portano un nome di santo o di santa). Alle grida e al frastuono, al chiasso, l'arciprete Parbacco, con la solita tabacchiera di corno in mano, si affacciò prima alla finestra e poi scese sull'uscio. Alzò una mano a chiedere silenzio e una per tutte, bella, fiera e rossa di capelli gli si fece davanti: «Arciprete, – disse, – rivogliamo le nostre campane perché il paese ci sembra morto!» «E chi li paga i debiti che ha fatto il vostro curato?» «Affari suoi. Noi rivogliamo le nostre campane: il Toni, la Maria e il Rocco».

Monsignor Parbacco si soffiò il naso e poi tabaccò una presa; stette un poco soprappensiero e le donne rincominciarono a gridare. Alzò una mano e batté un piede, poi disse: «Brave donne entrate a prendere le vostre campane e ritornate alle vostre case». Gridarono di gioia e si misero a ballare, tanto che il vecchio arciprete dovette calmarle.

Ritornando al villaggio fecero tappa all'*Osteria dello Scantabaucchi* per ristorarsi, e alla Lova incontrarono i loro uomini che le aspettavano. Insieme fecero gran festa bevendo il vino e la grappa del Brusomolin.

Questo successe tanti anni fa, ma anche recentemente, attorno agli anni Cinquanta, accaddero dei fatti alquanto bizzarri.

Il Comune, nel bilancio, aveva stanziato una certa somma per i bisogni di questa frazione e in Consiglio si era propensi a impiegarli per far arrivare la corrente elettrica in quelle case disperse; il consigliere di quella frazione, prima di passare all'approvazione, pregò di soprassedere perché desiderava consultare i suoi elettori. Cosí si fece, e questi in assemblea all'osteria votarono che l'importo a disposizione invece che per la condotta elettrica venisse impiegato per la costruzione di un campanile (le campane erano appese a una capriata di travi, in fianco alla chiesa). «Tutti hanno un campanile, – dicevano, – e noi, da quando la guerra ce lo ha distrutto, no». Il campanile fu fatto e crebbe anche un po' storto.

Nel frattempo era venuta l'epoca dei residuati bellici, ossia di ricercare con i cercamine magnetici lasciatici dagli Alleati nei Campi Arar, ogni materiale bellico nascosto nelle viscere della terra. E in questa frazione dove la guerra aveva imperversato fra la fine del 1917 e per il 1918 i materiali da recuperare erano tanti, e ben pagati, cosí se non un fiume certo un rivolo di denaro girò per quelle tasche prima sempre cosí asciutte.

Ricordo come questa gente ogni sabato arrivava al mercato per comperare le cose piú strane; gli uomini acquistavano rasoi elettrici e asciugacapelli che poi non potevano usare perché nelle loro case non era stata portata l'elettricità; le donne comperavano bambole: tante bambole grandi e colorate, vestite di sintetico, che poi a casa posavano in mostra sui letti, sui comò, sulle credenze, in mezzo alla tavola.

Finalmente si fece la condotta elettrica e i vecchi con gran divertimento giravano le chiavette degli interruttori per veder accendersi la lampadina. Quell'estate, capitarono persino le giostre, ed era la prima volta. Furono ancora le donne protagoniste di quella gran sagra perché non solo le ragazze e le giovani spose, ma anche le vecchie facevano la fila per accaparrarsi un seggiolino che, conquistato, non voleva piú essere poi ceduto.

Giravano e giravano sulla giostra fino a stordirsi, con le sottane al vento e al canto di *Volare*. Dal mattino fino a notte fonda, e trascuravano le faccende domestiche e il fieno sui prati e i figli e i mariti. Sempre in giostra, per giorni, e mai girovago carrozzone fece tanti soldi in breve tempo; finché gli uomini in delegazione andarono dal parroco perché facesse andar via il giostraio e far smettere questa sarabanda delle loro donne. Non serví, e per far allontanare le giostre dovettero intervenire il sindaco e il brigadiere.

Avventura d'inverno

Quando all'inizio dell'inverno i nostri emigranti ritornavano da oltreconfine, a gruppi di contrada o per famiglie, trovavano qui in centro al paese il cambiavalute autorizzato che tramutava in lire i *Kreuzer* e i *Gulden* austriaci e germanici. Con meticolosità, e alla presenza delle donne di casa, il denaro veniva contato e suddiviso per affrontare l'inverno: tanto per farina, per formaggio, per aringhe; e poi scarpe, panni, imprevisti, viaggio per ritornare al lavoro. Se poi la stagione era andata bene, restava magari qualcosa per una bottiglia di grappa o per festeggiare a Carnevale.

Ma c'era anche da pagare una specie di mutua privata con il medico condotto che, dietro il compenso annuale di due lire a persona (ai tempi della mia infanzia diventate poi cinque) dava diritto all'assistenza medica per dodici mesi, sia in ambulatorio che in casa, se il caso richiedeva. E la cosa funzionava, e come! perché il *dottore* ci conosceva tutti, sia come predisposizione alle malattie di famiglia, che come caratteri individuali, e nessuno approfittava del suo rigoroso zelo.

Se l'inverno era buono e non tanto nevoso i piú validi salivano nei boschi comunali per lasciare provvista di legna alle famiglie per quando sarebbero stati lontani; con la *slitta kuffa* la trascinavano giú per le piste ghiacciate fino ai margini delle contrade dove si facevano grandi cataste bene allineate, ricoperte con cortecce d'abete. E non c'era pericolo che qualcuno osasse prendere un pezzo da una catasta non sua: il farlo lo avrebbe isolato dalla comunità e il suo vivere sarebbe stato ben triste.

Quando le giornate incominciavano ad allungarsi un po' di piú e sulle rive al sole la neve sciogliendosi nelle ore piú calde formava poi, nel raffreddarsi dell'aria, una foglia di ghiaccio trasparente, sempre gli uomini delle contrade si recavano sui terreni di proprietà comune esposti al sole, e dopo aver spalato la neve si mettevano a roncare, a erigere muretti a secco, a picconare il terreno nel tempo che sgelava, a raccogliere con cura la terra, a sotterrare i sassi, a rimettere la terra, a bruciarci sopra gli sterpi di rosa canina, di ginepro, di salicone, di crespino, al fine di preparare i campetti per le donne che, a loro tempo, avrebbero seminato e curato gli orzi, le patate, le lenticchie, il lino.

Erano questi i lavori del tempo invernale, lavori riposanti perché fatti senza l'assillo di un capo o del cottimo, e c'era il tempo di fumarsi in pace una pipata guardando il paesaggio e i camini che fumavano sopra i tetti delle case; o anche a raccontarsi storie mentre il debbio consumava gli sterpi. Ma ho anche sentito raccontare la storia di due amici che per svernare avevano escogitato un altro sistema.

I due compari, dopo aver passato il Natale nella loro casa e dopo essersi saziati di far l'amore con le loro spose, e a queste lasciato il gruzzolo guadagnato nelle terre d'Ungheria, si mettevano in cammino con un sacco e un bastone. Scendevano le montagne con un programma ben preciso, sia come itinerario che come tappe di sosta: facevano visita a tutte le case canoniche dove un prete originario dalla nostra terra aveva cura d'anime.

Qui, però, devo precisare, che benché la nostra sia stata terra di confine dove si parlava un arcaico dialetto germanico e dove, sino al Settecento, i preti scendevano dalla Baviera o dal Württemberg, ecclesiasticamente fa parte della diocesi di Padova, e quindi quelli che quassú sceglievano la strada del Seminario, trovavano poi impiego in un territorio molto vasto che a est si estendeva fin verso Feltre e a sud fin dove la terra si confondeva con l'acqua della Laguna. Quindi i due ne avevano di spazio da camminare!

Incominciavano le tappe ai piedi delle montagne, poi avanti per la pianura lungo il Brenta, poi sui Colli Euganei, quindi oltre verso Conselve, Piove di Sacco, e su per Saonara e Cittadella ancora ai piedi dei monti, tenendo Padova come perno del loro andare. In ogni canonica, presso il parroco o cappellano conterraneo, si fermavano quel tanto che il luogo richiedeva, e questa sosta era calcolata sui lavori da prestare in cambio dell'ospitalità: spaccare la legna, pulire i camini, aggiustare un recinto, potare le viti, vangare gli orti; ma anche al rapporto di amicizia o di parentela, dalla consistenza della prebenda e, non ultimo, dal benvolere della perpetua.

Alla fine di febbraio erano nuovamente nelle vicinanze di casa da dove, dopo altra sosta fino a Pasqua, ripartivano per il lavoro *serio* oltre il confine. Ultima tappa, prima di risalire la Valle Frenzéla, la facevano dal parroco di Valstagna, paese alla destra del Brenta tra impervie e incombenti montagne; unico luogo della terra dove il Leone di San Marco tiene la zampa sul Vangelo chiuso; perché questo era *luogo franco*, e tra paesani e dogi non c'erano conti aperti. Qui i nostri due amici si fermavano ben volentieri perché il parroco era gioviale, buoni i salumi e squisite le trote; e anche per il forte tabacco da fiuto e da pipa che veniva abusivamente coltivato sui terrazzi sopra le rocce dove non arrivava lo sguardo delle regie guardie di finanza.

Un'ultima sera il parroco fece preparare per gli amici una buona cena accompagnata con vino bianco fresco e liscio che un bicchiere invitava l'altro a seguirlo. La conversazione filava via su ricordi comuni dell'infanzia, su conoscenze e macchiette paesane, sui lavori nei paesi stranieri e quelli di casa. Quando andarono a dormire i loro stomaci erano ricolmi di buon vino e i loro cuori di amore e tenerezza verso il mondo e la vita.

Ma per il vino cosí abbondantemente bevuto, piú volte nella notte dovettero alzarsi; sennonché uno dei due invece di uscire dalla camera, scendere le scale e andar fuori nell'orto, preferí aprire la finestra. L'altro, da sotto le coperte, pensando al cammino per la valle stretta e cupa, gli chiese: «Com'è il tempo lí fuori?» «Tutto oscuro compare. Non si vede una stella!» E richiuse, non molto convinto, le ante.

Al mattino, ben prima dello spuntar del giorno, nell'aprire la finestra videro invece che il cielo era stellato e senza nuvole, e che la luna calante stava come diceva il poeta paesano Moro Xaus «...nel gran veladon de Dio | boton luzente...» L'amico prete fu, come sempre, ospitale e generoso, e quando dopo i calorosi saluti stavano per prendere la via del ritorno, mandò la perpetua a prendere il piatto con il formaggio e la soppressa che aveva fatto riporre nell'armadio: «Mangerete per strada», disse il prete. Quando la perpetua ritornò con il piatto, uno strano liquido giallino era depositato sul fondo e in fretta, senza dare importanza, accartocciò formaggio e soppressa.

Camminarono per la valle stretta e cupa; da sotto il cielo appariva come una strada azzurra sopra gli strapiombi delle rocce incombenti. Arrivati dove un rivolo veniva raccolto in una bacinella scavata nella pietra, si fermarono a ristorarsi. Mangiarono solo il pane inzuppato nell'acqua fredda e lasciarono alle taccole la soppressa e il formaggio: «Eh sí compare, tutto oscuro dentro l'armadio!»

La rivolta per i tori

Nelle nostre montagne, ma particolarmente nei paesi che contornano il Massiccio del Grappa, sta ritornando negli allevamenti una particolare razza bovina che non molti anni addietro era sulla via dell'estinzione: si tratta della burlina, che ha origini remote nel tempo e lontane geograficamente, forse relitto dei primi bovidi addomesticati dall'uomo. Si dice che questi bovidi siano arrivati dalle nostre parti al seguito degli antenati «cimbri», e un professore di genetica sostiene che la burlina discende da quelle mandrie che all'epoca dei Romani pascolavano nel nord dell'Europa: «... il grande sviluppo del bacino, la lunghezza della testa, la sottigliezza del collo e, piú di tutto, i caratteri della cute e dei suoi derivati [...] tenendo conto dei dati storici e morfologici si può concludere che la razza burlina o pezzata degli Altipiani ha origine comune con le razze del litorale del Mare del Nord».

Per avere conferma di quanto sopra, recentemente si è anche scritto all'ambasciata di Danimarca. La risposta non escludeva l'ipotesi, ma curiosamente faceva notare che nel nord dello Jutland si trova un convento, un tempo residenza reale, che si dice abbia preso il nome da una leggendaria regina chiamata Burlina. Ma piú curioso è che questo nome nell'antica lingua che sul nostro Altipiano si parlava significa «corpulenta».

Quando, ragazzo, portavo al pascolo le tre vacche di casa (i miei non erano contadini, ma molti allora qui in montagna possedevano qualche vacca per avere buon latte per i bambini e per la famiglia) non sapevo certo queste cose, ma ricordo come attorno agli anni Trenta avvennero dei moti popolari che per origine avevano proprio questa razza di bovini. Accadde che nel 1928-29 la Cattedra ambulante di agricoltura e il Consorzio provinciale degli allevatori, dopo censimenti e controlli, decisero di incrementare altre razze, in particolare la bruna o svitta e di eliminare la burlina. Anzi, si provocò un regolamento che interdiceva e vietava sull'Altipiano l'allevamento della razza antica e intimava la sostituzione dei tori burlini con tori svitti; cosí, nel giro di pochi anni, tutti i contadini delle nostre montagne avrebbero totalmente e fatalmente cambiato gli animali dei loro allevamenti. Ma lo strano era che questa proibizione, chissà per quali ragioni o per quali nascosti interessi, riguardava solamente la nostra zona, considerata quella originaria, e non le montagne e le pianure confinanti dove questo tipo di bovino veniva piú o meno bene sfruttato. Insomma anche i nostri migliori riproduttori vennero dichiarati inidonei da una commissione venuta da lontano, e fatti castrare i torelli.

Il fatto suscitò grande malumore, inutili proteste, scontri. I contadini delle contrade attorno al capoluogo un giorno di primavera del 1933 scesero a dimostrare il loro malcontento davanti al municipio. Intervennero i reali carabinieri e alcuni uomini, i piú vivaci e aitanti, vennero arrestati e portati nelle prigioni mandamentali dove, da quando era finito il contrabbando perché le frontiere si erano allontanate, da molti anni piú nessuno veniva rinchiuso. La notizia di questo fatto insolito si sparse sino alle fattorie piú remote e isolate; allora tutte le donne contadine si passarono la voce per una dimostrazione che anche loro avrebbero fatto il mattino dopo, e per una notte, nei loro letti vuoti, restarono sveglie per lo sdegno e la collera a seguito dell'affronto che avevano subíto i loro uomini.

Arrivarono sulla piazza principale alla spicciolata e dai quattro punti cardinali come nel giorno della fiera patronale, ma non c'era nessuna bancarella e quando, in foltissimo gruppo compatto, si schierarono davanti al Municipio, incominciarono a gridare chiedendo la libertà per i loro uomini e la libera scelta dei tori. Il commissario prefettizio e il segretario a quel gridare si affacciarono al balcone e poi rientrarono subito per chiedere l'intervento della forza pubblica. Venne subito il maresciallo con tutti i reali carabinieri della stazione; venne il capitano forestale con i suoi militi e persino il guardacaccia. Il pretore consigliò al commissario di telefonare a sua eccellenza il prefetto e al questore, laggiú al capoluogo di provincia.

La forza pubblica circondò le donne che non smettevano di gridare «Vogliamo liberi i nostri uomini, sono galantuomini!» oppure «Noi siamo garibaldine e vogliamo le vacche burline!» Erano diventate come furie, minacciavano di defenestrare il commissario prefettizio e di distruggere l'ufficio della Cattedra ambulante dell'agricoltura. La porta del Municipio venne sprangata e il maresciallo e i carabinieri estrassero le sciabole dai foderi. Le donne non si spaventarono, anzi affrontarono la forza pubblica al grido «Viva Mussolini e i tori burlini». E come poteva il maresciallo ordinare la carica contro chi inneggiava al capo del governo? Indietreggiarono e riposero le sciabole nel fodero.

Le donne del contado non si allontanavano, avevano bloccato il Municipio e si può dire che tutto il paese era lí con loro. Nel pomeriggio, dopo chissà quanti consigli e telefonate sino a Roma, gli uomini che erano stati imprigionati vennero messi in libertà e solamente allora le donne levarono l'assedio. Tutti insieme, gridando «Viva Mussolini e i tori burlini» e «Noi siamo garibaldine e vogliamo le vacche burline», ritornarono verso le loro fattorie.

I tori tradizionali, però, non vennero piú tollerati; ma la cosa non si fermò qui. Un contadino nostro tra i piú tenaci non tollerava che le sue vacche fossero fecondate da un toro di altra razza, e nemmeno che in altre zone della provincia i burlini continuassero la loro funzione e cosí, d'accordo con altri allevatori, un bel giorno andò in pianura e acquistò un burlino di nome «Novegno» munito di regolare «Attestato di approvazione - Rilasciato dal Consiglio provinciale dell'economia - Servizio stazioni taurine». Pensava nella sua logica: se un toro è approvato per fecondare a trenta chilometri da qui perché non lo è anche nella mia stalla?

Un giorno il guardacaccia «Monco», che per le sue condizioni di povertà e miseria era stato comprato per fare la spia, sorprese il toro «Novegno» mentre fecondava una vacca burlina e stese un verbale di contravvenzione. Ne nacque una pratica che scatenò una causa di procedimento penale che arrivò fino alla Corte di Cassazione. Non sto a riportare brani della voluminosa pratica, dove si legge di soprusi, intimidazioni, castrazione di tori, ribellione di contadini che «non vogliono sottoporsi volenti o nolenti ai regolamenti in vigore», ma con sentenza del 18 luglio 1933 (allora le procedure erano molto piú rapide e poi c'era il retroscena della sommossa dei contadini e delle loro donne), la Corte di Cassazione confermò al trasgressore la multa di trecento lire per non aver staccato la bolletta per la monta, ma annullò la sentenza del pretore là dove si ordinava la confisca del toro «Novegno», che venne restituito al legale proprietario con «ordinanza del 23 novembre 1933, anno decimosecondo».

Sfida a Cima XII

Sul finire dell'autunno, anche mio autunno, assieme al nipote settenne volli ancora una volta salire alla Cima delle Dodici. La giornata era limpida e fredda e nei posterni restavano ancora lenzuola di neve gelata; aveva nevicato ai primi di ottobre ma poi era venuta la bonaccia e quindi il freddo: la neve era cosí diventata compatta e dura; gli scarponi lasciavano appena il segno e Roberto si divertiva a battere forte il piede per scalfire la crosta.

I solivi invece erano liberi e giallastri per erbe secche e grigi per rocce dilavate; anche lontano, dentro per il nord e dall'Adamello al Pelmo, le montagne che di solito sono bianche fino ai piedi, non erano caricate di neve.

Camminavamo e raccontavo di queste montagne e delle loro storie; poi sostammo al bivacco dove incontrai un altro nipote con la sua ragazza e ci raggiunsero quattro alpinisti di Borgo che erano saliti dalla Valsugana. Questo bivacco del Soccorso Alpino della Società Alpinisti Tridentini è posto al di là del vecchio confine di Stato, e ora non ci sono piú guardie di finanza, gendarmi e contrabbandieri e nemmeno contestazioni per qualche metro di arida roccia come era avvenuto nel passato tra le autorità dei due governi.

Prima, nei tempi antichi e fino all'Ottocento, per noi dell'Altipiano, questa montagna, che è la piú alta, era dedicata a Freya, sposa di Odino e dea di fertilità, nascita e morte, e che «godeva della poesia amorosa»; ed era chiamata Freyjoch, montagna, giogo di Freya. Come pure altre montagne, o valli o luoghi singolari erano e sono ancora dedicati a Odino, Thor (sulle carte un Monte Thor è diventato Cima Torino!), Skadhi, o alla profetessa Ganna.

Questo raccontavo a mio nipote e anche, raccontavó, della vicenda della croce di Cima XII che in tempi non poi tanto remoti, i nostri vecchi posero sulla vetta quando, invece di Freyjoch, venne italianizzata in *Ferrozzo* sulle mappe del Lombardo-Veneto e in Cima delle Dodici da quelli di Borgo perché a mezzogiorno faceva cadere l'ombra sulle loro case.

Attorno agli inizi di questo secolo era accaduto che qualche pattuglia di soldati austriaci ogni tanto sconfinasse, ma forse era solo per incontrarsi con le nostre pattuglie di alpini con il fine di scambiarsi un sorso di grappa o una borraccia di vino, lí, ai piedi della Dodici; ma è da supporre che anche i nostri soldati qualche volta passassero di là. E che cos'era poi questo «confine» che né i cacciatori, né i pastori, né i contrabbandieri erano capaci di definire? Ma ai patrioti e ai nazionalisti questa cosa non andava e sulla «Gazzetta di Venezia» il 28 dicembre 1908 si scrisse di «usurpazione di Cima XII e della Val Caldiera da parte dell'Austria, con la tacita acquiescenza dell'Italia».

In paese comparvero questi versi (allora era usanza molto seguita; se il caso riguardava il civico i fogli satirici venivano appesi alla porta del Municipio, se la Chiesa sulla porta del campanile): «Pochi giorni fa sono sconfinati | Un caporal maggiore e tre soldati; | E l'altro giorno poi, per farla eguale | Passaron tre soldati e un caporale. | Possibile mai che solo i nostri Alpini | Conoscono i geografici confini? | E che i tedeschi siano cosí addietro | Da non saper se andar avanti o indietro?»

Con l'attivazione del nuovo Catasto terreni, che sostituiva quello Lombardo-Veneto, la Cima delle Dodici, chissà come e perché, venne assegnata all'Austria e in quello stesso anno, il 1909, il senatore Colleoni solleva la questione al Senato del Regno ponendo interpellanza al ministro degli Esteri senatore Tittoni: «Tanto le carte geografiche e topografiche austriache, tanto quelle italiane, a cominciare dal

1838, ... ora nell'ultima operazione del catasto, con grande meraviglia degli abitanti di quel territorio, la Cima del Dodici viene assegnata al territorio austriaco...»

Non è per la montagna, dice, che è sterile e rocciosa, ma perché, piuttosto, «è una specula superba di importanza strategica che domina le cime e le vallate e il Trentino irto di fortilizi». E poi, aggiungono i giornali dell'epoca, da tempo immemorabile era sempre stata patrimonio a uso di pascolo ovino e di caccia degli abitanti dell'Altipiano.

Di queste questioni non sa nulla, risponde il ministro degli Esteri: deve prendere informazioni, per quanto riguarda il Catasto, dal ministro delle Finanze, e per la questione strategica dal ministro della Guerra.

Intanto gli animi dei patrioti si riscaldano e il giorno diciassette di settembre del 1910 un futuro deputato, due guardie di finanza e due chierici seminaristi salgono la vetta e sopra la croce issano il tricolore. Il giorno dopo «furtivi come gatti comparvero alcuni gendarmi austriaci, ammainarono il tricolore, se ne appropriarono e scesero a Borgo consegnandolo al loro comando».

Si fa sapere per via diplomatica alle autorità italiane che la bandiera era stata posta quaranta metri oltre il confine. La risposta fu anche pronta perché il 25 dello stesso mese alcuni alpinisti di Bassano salgono la cima con tre vasi di colore e dipingono la croce. Forse pensavano che gli austriaci, da bravi cattolici, non avrebbero osato toccarla!

Difatti il 30 settembre l'I. e R. funzionario Leopold Lauton ritorna sulla vetta con una pattuglia e al ritorno fa un rapporto dettagliatissimo al Bezirkshauptmannschaft di Borgo: «...Allorché il sottoscritto con il comandante del reparto Johan Maring giunsero a C. Dodici scorsero la già nota croce di legno sulla quale era stata issata la bandiera *tricolore* che dal sottoscritto e dal comandante Johan Maring venne confiscata il giorno 18, e videro che essa croce era completamente dipinta con colori a olio verde, bianco e rosso come dall'unito disegno. Le strisce colorate mostrano una larghezza da 13 a 22 cm... Sulla croce di legno alta m 3 $^1/_2$ e larga m 2 $^1/_2$, sezione m 0,14 × 0,12, a circa m 1,30 dal suolo, su una larghezza di m 0,49 si trova un Signore crocefisso sul quale, senza alcun rispetto, furono dipinte le strisce colorate.

Aldisotto della croce di ghisa si trova un cuore pure in ghisa di m 0,19 × 0,28 che venne dipinto di verde bianco e rosso. Dietro la croce a 1,31 m dal suolo è collocata la cassettina di latta – 25 × 18 × 4 cm – dove era contenuto il già confiscato libretto di vetta, consegnato al K. K. Bezirkshauptmannschaft di Borgo. Nella cassetta di latta si trovano soltanto biglietti da visita...

La croce in legno col crocefisso di ghisa fu eretta per incarico di Giuseppe Dalmaso del *Consorzio dei Sette Comuni* il 18.8.1900; nello stesso giorno fu benedetta da un parroco di Asiago il quale di fronte alla croce stessa celebrò una Santa Messa.

Il fronte della croce è rivolto verso Asiago, il rovescio è verso Borgo. Come comunicato la croce si trova a m 40 $^1/_2$ a nord della linea di confine stabilita sul terreno nel 1905 dalla Commissione Internazionale. Anche la pietra vicina alla croce è dipinta di bianco, rosso e verde...» La relazione del meticoloso absburgico funzionario continua descrivendo la misura del pennello e dei barattoli di vernice lasciati sul posto (a m 20 dalla croce), vernice inglese con la scritta in italiano *bianco Genova*, *rosso inglese*, *verde Italia*; dice pure a quanti metri dalla croce ha rinvenuto i resti di una colazione e descrive anche questi e che a sessantadue metri dal culmine, a guardare il Trentino «... fu dipinta in verde la parola ITAL con grandi lettere di 39 × 34 cm...» Raccoglie anche fogli di carta, «... 25 settembre Cima Dodici aò visto i maghi, il soldato Giuppe Zoccama, 6. Alpini, 74 Comp., Asiago»; c'è anche un biglietto da visita: «Prince Ferdinando Rospigliosi – Sottotenente di complemento 3° Reggimento Alpini – li 22 settembre 1910 qui venne sotto la neve».

Il rapporto diceva anche che non si poteva dar colpevolezza della pittura ai finanzieri in servizio sui confini; si allegavano disegni e schizzi e concludeva «...la croce dipinta col *tricolore* dal sottoscritto fu lasciata intatta».

Ma la lotta per la contesa cima continua e il 6 di ottobre una compagnia di soldati austriaci con i loro ufficiali, l'I. R. Commissario di Borgo, un sacerdote e qualche civile salgono dalla Val di Sella e dalla Lanzuola per riconsacrare la croce profanata e levare cosí l'offesa recata dai regnicoli. Davanti ai Kaiserjäger impettiti il sacerdote riconsacrò la croce e celebrò la messa; poi si levò una impetuosa e forte bufera di neve e quando vollero ridipingere la croce di nero, a metà operazione, il colore gelò e dovettero discendere con celere prudenza per evitare tragedie.

A don Malfatti, parroco di Vela di Trento che era salito lassú con i Kaiserjäger perché il vecchio arciprete di Borgo non era in condizioni di affrontare la salita e il cappellano don Cesare Refatti di sentimenti irredentisti si era dato ammalato, qualche giorno dopo giunse una anonima *Cartolina Postale Italiana* che portava scritto: «Ributtante davvero quella santa azione della Cima. Vergogna al ministro di DIO!» e sul retro continuava: «Bada a te mascalzone di un prete rinnegato che qualcuno non ti vernici come si deve il muso col giallo ed il nero! Bella carità cristiana aiutare dei prepotenti a conculcare la nazionalità d'un popolo!! Verrà il tuo turno sacerdote indegno, senza patria peggio dei sindacalisti! E te ne accorgerai parola d'onore!! Viva l'Italia!! Viva, viva, viva!...»

Forse su quella vetta la croce rimase in parte tricolore in parte nera; ma pastori e cacciatori non se ne curavano, e nemmeno i contrabbandieri; continuavano le loro attività come avevano sempre fatto. Quella montagna restava Freyjoch o Cima delle Dodici e l'antico e il nuovo esistevano insieme: Freya e Cristo. Francesco Giuseppe e Vittorio Emanuele restavano lontani; l'uno a Vienna e l'altro a Roma. Poi venne la Grande Guerra e da ogni parte dell'Italia sabauda e dell'Impero absburgico vennero qui gli uomini a morire a decine di migliaia. Ancora oggi ogni tanto affiorano le ossa spezzate.

Salendo, mio nipote raccoglieva un pezzo di granata, una cartuccia sparata, una pallottola: «Se continui cosí, – gli dissi, – quando saremo di ritorno peserai il doppio». Arrivati in vetta si stupí di trovare due croci. Gli raccontai, allora, che nel 1947 quelli di Asiago sostituirono l'antica che il tempo e i fulmini avevano ormai distrutto e che di quella è rimasta solamente la piccola croce istoriata in ghisa fusa inserita nelle braccia di legno, e che quell'altra croce in tubi di ferro l'hanno portata su nel 1973 i paesani di Borgo. Il loro poeta scrisse: «... De le do Crose: una | l'è la nostra, del Borgo, | l'altra la è la vostra, | cari fradei de Asiago!»

Amore di confine

Ora, dopo il traffico estivo dei turisti e quello autunnale dei cercatori di funghi, per la strada della Val d'Assa non passa quasi nessuno: qualche rara automobile scassata con i cacciatori e i curiosi segugi, qualche trattore che va a caricare la legna residua dei lotti di legname, la guardia forestale, il guardacaccia; o chi vuole conoscere l'Altipiano nella stagione del silenzio.

Solamente l'*Osteria del Ghertele*, dopo dodici chilometri dall'ultimo centro abitato, ha il camino che fuma; fu lí che molti anni fa mio nonno mi fece bere il primo caffè. Era una mattina come questa, molto fredda, e con la brina che ogni giorno ingrossa i rami dei larici e degli abeti cosí da farli apparire come dei fantastici alberi di Natale. Ma allora a restare seduti sul calesse tirato dalla cavalla baia, anche se si era ben coperti di lana casalinga, si sentiva il freddo entrare dalle gambe e dalle braccia. In quel mio primo caffè, fatto nella cuccuma di rame dal vecchio oste Nicola, il nonno fece aggiungere tre gocce di grappa, e fu come una sorsata di calore benefico; tanto che piú volte mi venne da ricordarlo in certi momenti della guerra.

I pascoli delle malghe sono deserti e ghiacciati, solo sui luoghi della mungitura l'erba è un poco piú verde per l'urea e la grassa lasciata sul terreno dalle vacche; ed è lí che nelle ore crepuscolari le lepri ormai tutte bianche escono al pascolo. Ma dal margine delle radure non si vedono volar via verso il fitto del bosco i tordi di passo; e le cesene vanno senza fermarsi. Le senti schioccare sopra gli abeti come a darti un saluto frettoloso: è troppo gelato il terreno, e gli insetti e i lombrichi sono interrati ben piú sotto del muschio brinato; cosí scendono verso la pianura dove troveranno, sí, cibo meno faticoso ma anche qualche fucilata che fermerà il loro andare.

Le casere sono rinchiuse e le finestre fermate con paletti per evitare che le bufere invernali abbiano a spalancarle: saranno i campani delle vacche a farle riaprire nel prossimo giugno. Ma per antica usanza, diventata per noi legge, deve restare al viandante la possibilità di entrare per avere rifugio, e lí dentro trovare un angolo con una bracciata di paglia per giaciglio e scorta di legna secca per il fuoco. Nei ricoveri del bestiame, invece, vuoti e per un lato aperti a ogni mutare atmosferico, sono i topi e le arvicole a trovare rifugio, ma anche a essere cacciati dalle volpi, dagli ermellini, dalle martore che girano nei dintorni.

Intanto, sulle rocce che guardano la strada, l'acqua che stilla a goccia a goccia dai calcari e dalle terre brune che reggono il bosco, e che è stata trattenuta per un buon mese, ha formato stalattiti di ghiaccio dai riflessi azzurri; e le gallerie-ricovero scavate dai soldati dal 1915 al 1918 (quelle sul lato nord della strada sono opera degli italiani, quelle sul lato a sud degli austro-ungarici), dànno, a guardarle, un senso di freddo cupo e umido; e pensi a quegli inverni tanto crudeli e alle artiglierie che battevano la via di comunicazione. S'incontrano anche lapidi che ricordano fatti d'armi e cimiteri; ma pure monumenti e iscrizioni private per memoria di un amico o di un figlio: come quelle che ricordano un capitano torinese di ventitré anni, o un ragazzo praghese, o il nostro Marco, figlio del Bufera che faceva la vedetta protetto dai rami di un gigantesco abete, di cui è rimasto il ceppo.

Anche l'*Osteria all'Antico Termine* resterà chiusa e fredda per tutti questi mesi invernali, e il sole di dicembre tenta inutilmente di intiepidire le grosse mura. Ma un tempo non era cosí. Pur isolata e lontana dai centri abitati è, per chi sa leggere nelle cose, un capitolo di storia. In tempi molto lontani, era una casa di tronchi d'abete e con il tetto di corteccia per dare rifugio a boscaioli e cacciatori, o anche ai pellegrini che scendevano dal Nord per arrivare a Roma; nel XII secolo, divenne posto di confine tra la Reggenza dei Sette Comuni e il Vescovo Principe di Trento; durante le epidemie di peste era anche posto di guardia medica per non fare entrare ammalati nel territorio dei Domini veneziani; nel 1848, tra le sue mura vide radunati i patrioti per la lotta contro gli Absburgo; dopo il 1866, attorno al fuoco del suo grande focolare, facevano sosta ultima in terra patria tanti nostri emigranti che prendevano i ripidi sentieri dei *menadori* per poi arrivare nell'Europa centro-orientale a costruire ferrovie e canali d'irrigazione, o a scavare nelle miniere della Prussia.

Poi venne fatta la strada, quella che percorriamo oggi, e un servizio estivo internazionale di diligenza univa il nostro al primo paese del Trentino. Solo che quando la carrozza lasciava l'*Osteria all'Antico Termine* e i cavalli affrontavano la salita che portava al Passo di Vezzena, una guardia absburgica si premurava ad abbassare le tendine perché i gitanti non potessero vedere i lavori delle fortificazioni che Conrad von Hoetzendorff, capo dell'I. e R. Stato Maggiore, aveva ordinato di costruire a ridosso del confine.

Fu con la Grande Guerra che questa osteria divenne nota a tantissima gente di ogni ceto e rango; ma il ricordo piú caro è forse quello legato a un aspirante addetto a un Comando che qui aveva messo la sede nel 1915. Questo giovane siciliano si era innamorato di una nostra bellissima ragazza, e appena il servizio glielo permetteva correva per la valle a incontrarsi con lei. Ma per l'offensiva nemica della primavera del 1916 (mi accorgo che è la prima volta che uso «nemica», e solo in questo caso mi sta bene), assieme a tutto il nostro popolo anche la bella ragazza dovette fuggire. Non seppe piú nulla di lui e nel 1917, in un paese del Biellese dove era profuga, si lasciò morire. L'ufficiale sopravvisse a ogni battaglia e quando, finita la guerra, ritornò quassú per cercare il suo amore, seppe invece della sua morte.

Osteria all'Antico Termine, luogo di Comandi italiani dove i generali e gli ufficiali di Stato Maggiore disponevano le carte topografiche e studiavano le manovre, e dove il Re si fermava a far merenda durante le sue visite al fronte; dal 1916 luogo di Comandi austro-ungarici, dove l'arciduca Eugenio e l'imperatore Carlo facevano sosta e pernottavano con i loro seguiti. Bombardata, ricostruita, ritornò alloggio per boscaioli e cavalli, sosta di pastori e mandriani, e Piero, l'allegro e disponibile oste, a noi ragazzi serviva gazose e agli adulti vino clinto. Bruciata ancora nel 1944, perché dava rifugio ai partigiani; abitata nei suoi recessi da quei reduci che nell'inverno del 1945-46 lavoravano a sradicare ceppi dal terreno gelato e coperto di neve per riscaldare l'inverno dei cittadini e fornire energia alle fornaci per la ricostruzione.

Ora, nel silenzio delle montagne e dei boschi intorno, tra le sue mura cosí spesse e tenaci, gli spiriti si sussurrano le storie dei secoli. Fino in primavera, quando verranno riaperti i suoi scuri e i ragazzi, lasciate le motociclette sulla spianata della diligenza, con il casco sottobraccio entreranno a chiedere una coca e un toast.

Don Lepre nella bufera

Di don Titta non si poteva dire che fosse un prete di bella presenza, tutt'altro: aveva una grossa bugna sul collo che tentava di nascondere con un fazzoletto tabaccoso, un naso a patata, i capelli rossi e il viso lentigginoso. Ma gli occhi chiari profondamente buoni, ridenti e sempre stupiti ripagavano abbondantemente la sua malagrazia e il suo impaccio a parlare; per queste sue qualità l'arciprete vicario gli aveva dato l'incarico di visitare gli ammalati, assistere i moribondi e confortare i poveri; era, insomma, il medico condotto delle anime e non c'era bufera di neve, temporale estivo o notte profonda che fossero d'ostacolo alla sua pietà.

Nella buona stagione quando malghesi, pastori, carbonai, boscaioli ripopolavano le montagne, era lui che andava a visitarli per sentire se avevano bisogno di qualcosa; per tre giorni al mese camminava per gli alti sentieri, si fermava in una casara o in un baito di pastori, o nei miserissimi ricoveri dei carbonai; con loro divideva polenta e formaggio, l'acqua dei fontanelli, il giaciglio di rami di mugo. Ascoltava con pazienza i loro problemi, cercava di sapere i loro desideri e quando si dipartiva raccomandava sempre: «Fate i bravi e non bestemmiate». La Messa, in quei giorni, la diceva in qualche cappelletta dove aveva dato appuntamento ai suoi fedeli.

Ma la sua vera festa, suo peccato d'orgoglio, d'ambizione e di gola che poi umilmente confessava all'arciprete, avveniva puntuale il dieci di agosto quando celebrava nella grande luminosa radura di Merk-wiese, circondata da secolari boschi di conifere, con lo sfondo delle cime piú alte delle Dolomiti biancheggianti nel cielo estivo.

In quei pascoli profumatissimi c'era una chiesetta dedicata a san Lorenzo martire, che proprio i suoi antenati avevano edificato e poi donato alla Reggenza dei Sette Comuni con questo capitolato: «Sarà carico della Reggenza stessa e suoi Comuni tenir laudabilmente in pieno e perfetto acconcio la Chiesa esistente nella Montagna di Marcesina, e mantenuta nell'occorrente d'arredi Sacri et utensili, et in preciso debito di far celebrar in essa chiesa la Santa Messa ne' giorni festivi, come pure sarà detta Reggenza obbligata tenir in perfetto acconcio le Casare tutte, ed Osterie e mantenute nel perfetto loro stato come s'attrovano».

Montanari veri: pastori, mandriani, casari, boscaioli, cacciatori, contrabbandieri e carbonai convenivano tutti qui con festevole amicizia dimenticando invidie e controversie. Don Titta al Vangelo faceva la sua unica predica a cui si era preparato durante l'intero anno, e le sue parole erano tanto semplici e piane che arrivavano al cuore di ognuno; parlava intercalando parole dell'antico dialetto «cimbro» come altri avrebbero fatto con il latinorum e diceva del Creatore, di lavoro, di luoghi, di animali domestici e selvatici, degli amici scomparsi durante l'anno trascorso e di san Lorenzo martire che per non tradire la sua fede si era fatto arrostire sulla graticola.

Non alzava mai la voce, qualche volta balbettava e nelle pause si sentivano il canto e anche il volo degli uccelli, il mugghiare delle vitelle e i campanacci delle vacche al pascolo. All'*Ite missa est* si sedevano tutti a merendare sull'erba con la pace nell'anima.

Ma don Titta aveva anche una passione forte e manifesta: la caccia, ed era cacciatore abile e sapiente come pochi con i segugi sulle lepri. Aveva anche i cani differenti da tutti gli altri segugisti, erano piú simili ai lucernesi svizzeri che ai nostrani o ai tirolesi; i suoi segugi erano bianchi con due macchie nere perfette come un uovo a contornare gli occhi, come nera era la punta del naso. Ma che bravi erano! E che voce squillante nell'inseguimento dopo il latrato della borita.

Andava don Lepre con i suoi compagni (già: cosí lo chiamavano in confidenza e lui non si offendeva) nei mattini antelucani d'autunno tra l'abbaiare festoso dei cani ancora tenuti al guinzaglio. Rientrava dopo un paio d'ore per i suoi doveri di sacerdote, le piú volte con la cacciatora rigonfia e si divertiva con serietà e compostezza a stupire le donne della prima Messa.

Un mattino che aveva due lepri fece sporgere la testa di uno da una parte e le gambe del secondo dall'altra cosí da far sembrare la sua caccia un unico animale lungo lungo; fece anche apparire due teste e due gambe. «Ma don Titta, questa mattina avete preso un lepre con due teste?» chiedevano le donnette.

Durante la *settimana santa* che precedeva la Pasqua andava per le osterie del paese e del contado per richiamare al loro dovere di cristiani i compagni di caccia e i giocatori di carte, e se loro dicevano che non avevano tempo per fare la fila davanti ai confessionali, don Titta si metteva in un angolo discosto o in un sottoscala, indossava cotta e stola e pazientemente aspettava la fine della partita o della discussione per poi chiamarli a dire i loro peccati e assolverli.

Tra affanni e miserie, tra le piccole gioie la sua vita trascorreva tranquilla ma un giorno, sono proprio trascorsi settant'anni da quel sedici maggio del millenovecentosedici, la *Strafexpedition* voluta dal maresciallo I. R. Conrad von Hoetzendorff distrusse la nostra terra. Anche don Titta Lepre, come tutti (tranne uno), dovette abbandonare la sua piccola casa che era in un angolo a nord del paese.

Sotto la tonaca, contro il petto villoso, aveva la pisside con le Sacre Specie e, attaccati alla sottana due bambine e un bimbo orfani seguiti dai suoi cani.

Corsero via sotto le bombe e tra gli incendi; dopo ore di cammino giunsero che era notte ai piedi delle montagne e trovarono rifugio in una stalla abbandonata. Si stese tra lo strame e a lui si strinsero attorno i tre bambini, i suoi cani e alcune povere persone che aveva raccolto lungo la strada.

Vegliò e pregò per loro mentre riposavano e quando venne l'alba ripresero il cammino verso Marostica. In quella piazza tra la grande confusione di soldati e civili incontrò suo fratello che era direttore didattico, composto come sempre nel suo vestito completo, il bastone con l'impugnatura d'argento e il cappello a bombetta.

Vedendo quel suo fratello prete cosí strapazzato e triste, con fili di paglia tra i capelli rossi, le occhiaie profonde, le scarpe infangate, quei bambini spauriti attaccati alla sua sottana, i due cani intontiti, lo guardò severo e accigliato dicendo: «Don Titta! Dove è andata la vostra dignità sacerdotale?» Il povero prete abbassò confuso il capo e gli occhi gli si riempirono di lacrime per la vergogna.

Musil in trincea

Quando nelle belle e silenziose sere invernali leggendo un libro incontro un paesaggio o un richiamo che hanno come riferimento la mia terra, questa che gli avi scelsero mille anni fa scendendo dal Nord, sempre una emozione e un certo orgoglio mi prendono l'animo; e le sorprese e le scoperte sono numerose, tanto che mi pento di non aver tenuto una bibliografia delle citazioni o delle descrizioni, anche se certi libri, come quelli che narrano le vicende della Grande Guerra, sono numerosi e vasti.

Una sera leggendo *Andrea o I ricongiunti* di Hugo von Hofmannsthal, mi soffermai pensieroso là dove si racconta del personaggio che venendo dall'Austria attraverso le Alpi Carniche per raggiungere Venezia qualche volta proseguiva nel viaggio sino alle mie montagne per incontrarsi con una amorosa vedova, e dice anche della arcaica lingua che qui si parlava. Con questo autore mi trasferisco in quel tempo, immagino il paesaggio e la gente di allora, e gli studiosi che da Oltr'Alpe o da Padova, *pedibus calcantibus* o a dorso di mulo, arrivavano fin qui. Come quel gruppo di inglesi guidati da Tuckett che qui giunse accolto festosamente nel 1870.

Ma persino nei *Diari* di Kafka – o era nelle *Lettere a Milena*? – ho trovato il ricordo della mia terra: un praghese di ritorno dal fronte gli aveva raccontato di una battaglia cruentissima e Kafka annota (cito a memoria) «Racconto con una descrizione di una battaglia sull'Altipiano»; da cui certamente non derivò *Descrizione di una battaglia* perché scritto tra il 1907 e il 1908. Questa annotazione del *Diario* mi aveva stimolato, e ancora qualche volta si riaffaccia alla memoria, tanto che in un viaggio a Praga chiesi a uno studioso se tra i racconti di Kafka ci fosse anche questo accennato. Mi rispose che ancora molte cose di lui erano da scoprire e da pubblicare; e ora supporre che in qualche remoto angolo di quella arcana città ci sia un manoscritto di Kafka che parli dei miei luoghi, mi dà misteriosa emozione.

Con Hofmannsthal e Kafka ecco anche Robert Musil, che tra il 1915 e il 1917 fu su queste montagne, e proprio in quei pascoli e malghe che frequentavo da ragazzo con i miei di casa, e poi da uomo come cacciatore, e che ora alle soglie della vecchiaia attraverso con gli sci da fondo. Ma Musil con le sue parole sa rendermeli ancora piú belli che nella realtà e nel ricordo; anche perché le sue sensazioni di allora erano simili alle mie sulle rive del Don; solo che nessuno ha saputo trovare parole come le sue per descriverle.

Nel suo racconto *Il merlo* scrive «... Solcava la valle come un'ondata di sole, al di là di due colline dai bei nomi sonanti, e poi risaliva dall'altra parte per perdersi nel silenzio della montagna [...]. Tuttavia non c'era notte in cui io non alzassi la testa oltre l'orlo della trincea e non la girassi con prudenza come un innamorato; allora vedevo il gruppo del Brenta color celeste chiaro, con le sue pieghe rigide di vetro. E proprio in quelle nottate le stelle erano enormi e sembravano ritagliate in carta dorata».

Ma anche Piero Jahier, il valdese tra gli alpini veneti, nel suo foglio «1918 l'Astico, giornale della trincea», ricorda i paesi abbandonati e le montagne tragiche, e ancor piú gli uomini; non certo come Mussolini che sul «Popolo d'Italia» in quelle date scriveva a proposito dei nostri profughi: «Se incontrate uno di costoro sputategli in faccia».

Ma quanti altri ancora nei loro diari, memorie, ricordi, lettere raccontano un episodio, un paesaggio, una roccia, un albero? Ogni tanto da luoghi lontani mi arrivano fotocopie di diari, di raccolte di lettere riesumati dai ragazzi delle scuole medie che vogliono conoscere la storia della Grande

Guerra. Tra Mario Puccini, Weber, Monelli, Frescura, Fraccaroli, Gladden, De Mori, Hemingway, e generali e marescialli di vari eserciti, mi sono piú cari i libri e il ricordo di Emilio Lussu e di Carlo Emilio Gadda. Personaggi contrastanti tra di loro, ma simili per rigore morale e bravura di narratori testimoni.

Quando qualche volta scendevo a Roma, era a casa di Lussu che ritrovavo il silenzio dei miei boschi e il profumo della Sardegna; e lui per amicizia mi raccontava, e io devotamente ascoltavo. Sapevo, so, quasi a memoria il suo *Un anno sull'Altipiano* e a mie domande a tanti particolari rispondeva allargando i suoi ricordi a cose che non aveva scritto, o non aveva voluto scrivere; mi chiedeva anche se ero andato a cacciare le coturnici al Sasso Rosso, o se avevo visto sorgere il sole dalla cima di Monte Fior.

Ai miei insistenti inviti rispondeva che quassú non poteva ritornare perché «è come se dovessi camminare sulla carne dei miei fratelli». E mi raccontava del suicidio del caporal-maggiore Sanna che era uscito dalla trincea dello Zebio con un tubo di gelatina acceso stretto al petto, e del coraggio dei disertori: «In prima linea ci vuole piú coraggio a disertare che andare all'arma bianca».

Ma anche mi raccontava dei paesaggi dolcissimi e dei tramonti che infuocavano il cielo sopra il Pasubio, e di come aveva raccolto tra le rovine della Villa Rossi il volume dei *Fiori del male*, l'*Orlando Furioso* e un libro sugli uccelli. «Andando lí, – gli dicevo, – sei passato per il sentiero dietro la mia casa».

Una volta vedemmo assieme *Uomini contro*, il bel film che Rosi aveva tratto dal suo libro. Film tragico, duro, violento e pazzo. Dopo un po', mentre si tornava a casa: «Lo sai bene anche tu, non è sempre cosí la guerra. Qualche volta abbiamo anche cantato, scherzato, sognato».

Dopo tutto questo mi sembra che tra la Sardegna di Lussu e il mio Altipiano ci sia un legame di sangue per i tanti sardi che qui riposano per sempre e per quel pacchetto di tabacco che un caporale della Brigata Sassari diede a un nostro vecchio profugo che si allontanava dal paese in fiamme. Ora non so dire il rimorso che ho in cuore quando al suo ultimo biglietto che mi invitava di andare a trovarlo ancora per una volta, non fui sollecito: pochi giorni dopo morí. Ma quando risalgo alle trincee di Monte Fior o dello Zebio, o di Valbella dove fu gravissimamente ferito nel Natale del 1917, è come se venisse con me, maestro e signore.

Non cosí, invece, fu con Carlo Emilio Gadda che incontrai in ascensore quando a Viareggio vinse quel premio con *Novelle del ducato in fiamme*. «Sono arrivato da Roma con il rapido delle 17,31 ma aveva tre minuti di ritardo. Lei da dove arriva?»

Di lui non conoscevo ancora una pagina, ma dopo avere riletto il suo *Giornale di guerra e di prigionia* ebbi l'ardire di scrivergli dicendo che le postazioni delle mitragliatrici Saint-Étienne della sua 2ª Sezione, 89° Reparto Mitraglieri del 3° Regg.to Alpini, erano ancora lí, sull'orlo della Val d'Assa, e che seguendo i suoi schizzi avevo ritrovato il suo ricovero tra Magnaboschi e Monte Lémerle; ma anche che le ferite dell'Altipiano si erano rimarginate. Se voleva ritornare sarei stato ben lieto di offrirgli ospitalità e compagnia.

Mi rispose dopo pochi giorni e la sua lettera, tutta manoscritta, in bella calligrafia e stile, sino dall'indirizzo, dal mittente e dalla maniera di attaccare il francobollo, denotava la sua personalità. Per qualche ragione non poté venire, anche se tutto, lui e io, avevamo predisposto. Ora rileggendo il suo *Giornale di guerra e di prigionia*, *Il castello di Udine*, *La cognizione del dolore*, lo rivedo alto e massiccio, rigoroso e addolorato guardare dalla pianura verso la mia terra che era infuocata e rossa nelle notti del giugno 1916.

Ma è anche certamente sua la pagina piú bella della nostra letteratura contemporanea, dove nel suo *Giornale*, in data 3 luglio 1916, scrive: «Asineria N. 2. Fra le ondulazioni dolcissime dell'Altipiano, vestite del folto pratíle, il trillo dell'allodola nell'estate è segnato da una nota di apprensione paurosa: un bizzarro spaventapasseri fa venir l'itterizia alle povere creature, avvezze al deserto silenzio della vegetazione. Esse lo credono un mostro giallo e maligno, che guarda l'universo con l'occhio dell'augurio funebre: ma egli non è che il vecchio e bravo capitano, a cui il Ministero ha tardato la promozione...» Sono queste le sue «sciocchezze» che, scriveva, «saranno interessanti di qui a trent'anni».

Il mortaio del primotenente Hans Stiegland

Allora, nel 1917, la linea del fronte era su in alto, nella corona dell'Altipiano, e i paesi lungo la Valsugana erano ricolmi di soldati d'ogni nazionalità dell'Impero absburgico; dalle radici dei monti le teleferiche salivano alle gole tra l'Ortigara e Cima XII da dove, poi, ripartivano le mulattiere e i sentieri sino ai camminamenti e le trincee, passando per baracchini, depositi, comandi, ricoveri in caverna, ospedali da campo e costruzioni in pietra estese come villaggi, i cui resti si possono vedere ancora oggi.

Nei paesi la vita era molto grama ed erano in pochi, ormai, i paesi sani rimasti: i fornai, gli osti, le guardie comunali, gli impiegati dell'I. R. Governo ma nessun contadino. Quando nel 1915 i soldati italiani, salendo da Primolano, avevano occupato parte della valle, molte famiglie furono costrette a lasciare le loro case e scendere giú per l'Italia fino in fondo; ma prima ancora altre famiglie, quelle che gli austriaci consideravano filo-italiane, erano state internate nell'Austria Superiore o in Boemia.

Nelle osterie delle terre liberate gli alpini e i fanti impararono a bere una mistura infernale che gli ungheresi e i croati avevano importato dai loro paesi, dove l'avevano a loro volta appresa dai turchi. I valsuganotti la italianizzarono in «parampampoli», storpiatura di chissà quale vocabolo balcanico: era composta da acquavite, rum, cannella, pepe, chiodi di garofano, caffè in polvere e zucchero mescolati insieme a fantasia e riscaldata fino a ebollizione. Bevuta cosí riscaldava, anzi bruciava labbra e fauci e faceva giungere il suo effetto sino alle unghie dei piedi.

Ma gli alpini, come ci raccontava Paolo Monelli, al parampampoli preferivano il vino del parroco e del sindaco e quando nel febbraio del 1916 presero il paese di Marter e il capitano Nasci disse loro che il vino delle cantine era stato avvelenato dagli austriaci, i vecchi della compagnia decisero: si tira a sorte e quello che viene fuori prova a bere un bicchiere.

Nel giugno del 1916 gli austro-ungarici rioccuparono le terre della Valsugana e con la loro diabolica bevanda, lassú nelle gole e sulle cime dove il vento urlava e la neve si ammucchiava a decine di metri, superarono quel freddissimo inverno. E forse questa mistura di fuoco fu fatta bere anche a quei reparti d'assalto che ripresero l'Ortigara ai nostri alpini dopo venti giorni di furibonda battaglia.

In quei tempi, in un villaggio ai piedi della Cima XII, per un ordine arrivato da lontano, vennero fatte scendere dal campanile le quattro campane che per secoli avevano regolato la vita in quelle povere case. Diceva, quell'ordine, che le campane dovevano essere requisite e il metallo rifuso per fare cannoni; cosí al quattro di novembre dell'anno millenovecentodiciotto, quando arrivò la notizia che era stato firmato l'armistizio e che gli italiani erano entrati a Trento, per festeggiare la ritornata pace non ci furono scampanii e i pochissimi paesani che erano ritornati guardavano sconsolati e in silenzio le rovine del villaggio e del loro campanile dove sopra le macerie era stata posata una piccola bandiera tricolore, chissà da dove uscita.

Verso la primavera del 1919 ritornarono i profughi che erano andati giú per l'Italia e anche le famiglie internate nell'Austria Superiore e in Boemia. Si avevano invece pochissime notizie di coloro che nel 1914 erano stati mobilitati per ordine di Francesco Giuseppe e poi mandati a combattere in Galizia e sui Carpazi: si diceva che i sopravvissuti erano finiti in Siberia e in Manciuria e che sarebbero ritornati per l'Estremo Oriente.

Si ricostruirono case e campanile, ma questo restava silenzioso e non si trovavano i soldi per comperare le campane. Una sera, dopo una leggera bevuta di parampampoli, leggera perché non c'erano in tasca abbastanza soldi per arricchirla e dovettero allungarla con l'acqua, con il cuore caldo ma l'animo malinconico, alcuni giovani e il curato per delle parole buttate là sulle campane che non c'erano piú, pensarono di fare una cosa ardita: salire tra Cima XII e l'Ortigara, cercare qualche cannone abbandonato, farlo calare con le corde giú per il Vallone dei Morti dove tanto tempo prima erano precipitati due contrabbandieri di scarpe dell'Altipiano, trascinarlo fino a una strada e poi a Trento o a Rovereto o a Verona dove si trovano le fonderie, farlo tramutare in sonanti campane aggiungendo all'acciaio il rame delle corone di forzamento delle granate, il piombo degli shrapnel e l'ottone dei bossoli che lassú tra quelle rocce carsiche oltre i duemila metri dovevano essere a tonnellate. In questo modo, e forse solo cosí, le campane che la guerra aveva fatto tramutare in armi, con la pace le armi ritornavano a essere campane: la cosa appariva giusta, anzi doverosa perché, dopo tutto, non facevano che riprendere il loro.

Un giorno di maggio del 1920 tre ragazzi salirono verso l'Ortigara per il Sentiero del Civeron prima e per il Passo di Val Caldiera poi. Arrivati dove il sentiero lascia i precipizi della Valsugana per immettersi sull'Altipiano, davanti ai loro occhi si presentò una orrenda visione: tra le rocce giallastre e sbriciolate, tra lenzuola di neve sporca, tra reticolati aggrovigliati a perdita d'occhio, resti di trincee e di postazioni, caverne, brandelli di divise, elmetti sfondati, scarpe, armi rotte, gavette, zaini, maschere antigas, munizioni di ogni tipo, barattoli, casse, schegge di bombe d'ogni calibro, stavano sotto il cielo primaverile centinaia e centinaia di cadaveri in decomposizione, scheletri, teschi, membra umane, ossa. E non un filo d'erba, non un fiore, non il canto di un uccello.

Una fredda angoscia strinse il loro cuore e i loro petti affannati per la dura salita: in quel silenzio assoluto sembrava che l'aria mormorasse «pace! pace!» e un qualcosa li spingeva a correre via come se fossero vergognosi della loro vita e della loro giovinezza. Andavano tra quelle cose con passo trepido, incerto, guardando dove poter appoggiare il piede, attratti e respinti da pietà e orrore.

Dietro i camminamenti dei Campigoletti, in una postazione bene riparata, trovarono due obici Skoda da 7,5 e si dissero che forse potevano essere recuperati per diventare campane. Tra Cima XI e Cima del Prà, ben nascosto in una gola, si imbatterono in un mortaio da 15 e accanto, sulla parete di roccia, una lapide in cemento portava scritto: «Im Weltkrieg | a.D. 1917 | stand hier ein 15 cm Mörser M. 80 | ...» e uno dei tre computando con fatica tradusse: «Nella Guerra mondiale | Anno del Signore 1917 | Stava qui un mortaio da 15 modello 80 | dell'Imperiale 7° Reggimento d'artiglieria da fortezza | Con grande fatica fu portato quassú | Sul Caldiera fece buona guardia! | Cosí come nel salire non precipitò nei dirupi | Valorosamente colpí ogni bersaglio | Poiché ora noi andiamo giú in Italia | Lui purtroppo deve restare quassú | Siamo rattristati nel profondo del cuore | Tuttavia è meglio che rimanga qui | Riposa in pace | 11 novembre 1917 – primotenente Hans Stiegland».

Con negli occhi le immagini tragiche e crudeli e il cuore gonfio i tre giovani, quasi precipitandosi per il Sentiero delle Trappole, scesero in Val di Sella per ritornare dal loro curato a riferire.

Dopo una settimana si organizzò la spedizione per il recupero dei due Skoda e del mortaio da 15. Il prete con una ventina di giovani del villaggio e qualche reduce che nel frattempo era ritornato dai fronti lontani, partirono di buon mattino che era ancora buio e l'alba la trovarono lassú salendo il sentiero tra pinnacoli di roccia e burroni. Giunsero con il sole a vedere quello che increduli avevano sentito dire una sera dai primi tre. Davanti al Corno della Segala e per il Vallone dell'Agnella, dove i battaglioni di alpini piemontesi erano andati all'assalto nel giugno di tre anni prima, un gruppo di prigionieri austro-ungarici stava raccogliendo le salme o i resti di uomini che un cappellano militare cercava di identificare.

Arrivarono dove c'erano i due obici Skoda da 7,5; un reduce che era stato in artiglieria incominciò a smontarli e i giovani piú robusti a trasportarne i pezzi al Passo di Castelnuovo: era da lí che con le corde li avrebbero fatti calare sino al Baito della Rossa, dove si poteva dire che il piú era fatto. Testate, scudi, bocche da fuoco incominciarono a penzolare nel vuoto; ma non tutto poté arrivare in fondo perché le corde, sfregando contro gli spigoli delle rocce, a un certo punto si ruppero e le due bocche da fuoco precipitarono in luoghi inaccessibili dove ancora «riposano in pace». Con grande attenzione e con ancora piú grande fatica e pericolo osarono calare la bocca da fuoco del mortaio da 15 che pesava ben cinquecentotrenta chilogrammi. Poi dal Baito dei Contrabbandieri con due muli la trascinarono ai piedi del campanile e dopo altri due giorni venne trasportata nelle Officine Colbacchini di Trento per la fusione in campane.

A questo punto dice una memoria: «... persona malefica presentò denunzia all'Autorità...»; la bocca da fuoco venne sequestrata in fonderia e il curato denunciato per furto di materiale bellico. Forse del fatto si interessò il Vescovo Principe perché con Decreto «... il Regio Commissario di Trento, d'accordo con l'Intendente di Finanza, rilasciò alla Fabbriceria il cannone per la fusione delle campane». E cosí il giorno della sagra patronale, ultima domenica di giugno, in quell'anno che venne dopo, con grande concorso di popolo, quattro nuove campane che erano state cannoni o altre cose di morte suonarono a gran distesa: il loro suono arrivò fin lassú dove chi vuole, o sa, ancora lo può ascoltare tra rumori confusi di battaglia.

Profumo di Pasqua

Dopo un inverno che non finiva mai, che ci ha fatto trovare la luna di marzo al primo di aprile, con ancora i prati e i boschi coperti di neve e le allodole affamate di sole sui bordi dei clivi terrazzati, finalmente oggi, con la luna colma della Domenica delle Palme, i tordi incominciano con il canto a segnare i loro territori. Tre cavalli al passo con i loro cavalieri si avvicinano e si allontanano per la strada della Valgiardini e le campane suonano a festa per l'entrata di Cristo a Gerusalemme mentre le api lavorano a sistemare e a pulire le loro arnie come un tempo, sempre in questa settimana, le donne facevano con le nostre case.

Ho finito ora di rileggere un raccontino di Antòn Čechov, *Durante la Settimana Santa*, che era stato pubblicato sulla «Peterburgskaja Gazeta» il 30 marzo del 1887, e cosí mi viene da ricordare le settimane sante dell'infanzia.

Dal lunedí dopo la quinta domenica di Quaresima il maestro non ci faceva piú cantare «Dai fidi tetti del villaggio» ma «Cristo risusciti» a finestre e a gole spalancate; in questa settimana venivano sotto il portico le lavandaie per il grande bucato di primavera che consumava tutta la cenere raccolta durante l'inverno e io pensavo: «Come può essere che tutte quelle grandi cataste di legna si riducano a cosí poca cenere? Dove è andato tutto il resto?»

Moro Bet, il nostro famiglio, in quei giorni non faceva che alimentare il fuoco sotto la grande caldaia, travasare acqua e scherzare con le donne che lavavano appaiate sugli ampi mastelli di legno. Poi, dopo che la biancheria era stata lavata una prima volta, lenzuola, federe e asciugatoi venivano lasciati a bagno nel ranno e sotto la spessa coltre di cenere trattenuta dal grosso telo; il mattino dopo il vecchio Moro aiutava le donne a riporla sul piano ben pulito del carro e con il cavallo alla briglia, seguito dalle donne come in processione, la portava alla roggia per il risciacquo. Un carro di biancheria veniva steso in lunghissima fila nell'aria della primavera lungo una strada che saliva a una contrada, e mia madre, nel pomeriggio, mi mandava a sorvegliarla perché il vento non portasse via per i prati tutte quelle bianchissime vele.

Al sabato che precedeva la Domenica delle Palme i muli degli erbivendoli che venivano dalla pianura lontana portavano al mercato anche fasci di rami d'ulivo e nella Piazzetta del Mercato contrattavamo a centesimi di lira per avere i rami piú belli e piú grandi. Non c'erano nastri di seta per adornarli, erano belli anche cosí con il loro verde argenteo e nella nostra stagione ancora brulla portavano immagini di sole e di terre esotiche. E quella domenica davanti al sagrato eravamo lí tutti in attesa dei tre colpi che avrebbero fatto aprire la porta della chiesa; intanto brandendo le fronde come spade o lance giocavamo a duellare rincorrendoci per i gradini tra i rimbrotti degli adulti e le minacce della guardia comunale, e quando al suono delle campane e dell'organo si entrava in chiesa cercavamo di nascosto di dare colpi con i nostri ai rami d'ulivo tenuti festosamente in alto dalle fanciulle biancovestite.

I quaresimali e le confessioni; le Quaranta ore con i confratelli vestiti di rosso che portavano i grandi ceri, e l'asta con la croce velata di viola, il campanaro e i due chierichetti che suonando la campanella passavano per le contrade o in gruppi di vie per accogliere i fedeli secondo un turno forse stabilito da secoli. Ma a noi ragazzi, durante questa settimana, non c'era tanto tempo da dedicare, e allora il vecchio don Piero ci chiamava tutti in gruppo davanti all'altare della Madonna, ci dava l'assoluzione e ci mandava via.

In casa le donne erano tutte indaffarate a lavare i pavimenti di legno con il ranno e la varechina, a pulire i vetri, gli infissi, le credenze e i quadri, a lucidare i rami con farina gialla e aceto o con la polvere di una pietra tenera che noi ragazzi pestavamo con il martello sul fondo di un proiettile vuoto; veniva anche l'imbianchino a dare la calce sui muri della cucina annerita dal fumo e cosí al Giovedí Santo tutto era pulito e luminoso e l'aria che entrava da porte e finestre spalancate portava via definitivamente il chiuso dell'inverno. Alla sera restava un buon odore per tutto il paese, pure questo ripulito da due spazzini e da due operai ingaggiati dal Comune.

Ma per noi ragazzi il Venerdí Santo era lungo a passare a causa del digiuno. Se era lungo! Al mattino solo un po' di latte e poi via tutti alla *predica della Passione* che il predicatore piú tragico e piú in voce del quaresimale teneva al popolo, tanto che la chiesa non era capace di contenerlo. C'erano di quelli che andavano all'alba per tenersi il posto sotto il pulpito, e quelli che da casa si portavano la sedia per restare comodi in qualche angolo tranquillo e rimasto libero. La Passione predicata con toni sommessi e dolci, irruenti e solenni, strazianti e terribili sospendeva il fiato agli ascoltatori. Sentivi sospiri, pianti, imprecazioni anche; qualche donna sveniva, e anche ragazze e ragazzi. Ma per questi il fatto era forse dovuto alla calca e al digiuno. (Mi raccontava mia madre che ancora nel secolo scorso questa predica della Passione veniva tenuta nell'antica nostra lingua «cimbra», e che suo nonno Giulio aveva conservato un testo la cui lettura era impressionante come un quadro di Bosch).

Ma che fame poi durante le ore del giorno in cui non si poteva mangiare nemmeno un boccone di pane. O bere un bicchiere d'acqua o masticare una radice di pastinaca nei campi. E non era nemmeno permesso vangare l'orto, o arare, o raccogliere un'erba con un coltello perché in questo santo giorno non si doveva ferire la terra.

Alle tre del pomeriggio la nonagenaria zia del nonno, che era sorda come una campana, ci chiamava tutti a raccolta per farci dire una preghiera, ma noi si guardava la borsa del pane appesa in alto a un gancio del soffitto perché non potessimo raggiungerla. Ma di una cosa eravamo anche assolutamente certi: che il nostro digiuno sarebbe stato compensato nel corso della buona stagione col ritrovare con abbondanza nidi di uccelli e di bombi. E questo pensiero ci rallegrava!

La sera della processione i balconi e i poggioli erano tutti illuminati da file di lumini e addobbati con coperte colorate, tovaglie, tappeti; le vetrine delle macellerie incorniciate con rami di abete bianco mostravano agnelli e capretti squartati e lavati, ancora con la loro pelle ben ripulita: candidi gli agnelli e neri i capretti. La banda suonava marce funebri di Verdi e di Beethoven, la *Schola Cantorum* con cori bassi e profondi si alternava alla banda per far tenere il passo lento e solenne. Ma noi ragazzi quando nei rigiri si incontrava la fila delle ragazze non riuscivamo a tenere bassi gli occhi.

Al mattino del Sabato Santo, al suono del Gloria i venditori di sementi, i sensali, i mercanti di bestiame, i nostri contadini che erano scesi al mercato, si affollavano attorno alla fontana del nostro cortile per lavarsi gli occhi al fine di vedere la luce del Risorto. Alla Domenica di Pasqua in ogni casa si pranzava con polenta e agnello e con le focacce il cui impasto era stato fatto lievitare tre volte prima di essere infornato; e l'odore di queste cose buone, il canto dei tordi e il suono delle campane facevano da contorno alle voci festevoli degli auguri che incontrandosi tutti si scambiavano. Le ragazze si pavoneggiavano in vesti nuove e forse troppo leggere per la stagione, i giovanotti avevano un cappello nuovo col rametto di ulivo e noi ragazzi da quel pomeriggio si andava alla ricerca dei nidi.

Rito sull'Altipiano

I discendenti dei nostri emigranti che sono in ogni continente ricordano tutti un giorno particolare che li fa sentire in comunione con la loro terra lontana; anche per me, e per tanti come me, negli anni delle guerre quel giorno era vissuto in maniera particolare e non passava ora senza essere ricordato nel suo svolgersi; anche nei momenti piú tragici e nelle situazioni piú astruse.

Oggi, pure se molte cose sono cambiate negli usi e nei costumi, questa particolare giornata ha un senso preciso e profondo piú che ogni altra delle 365 per chi, nei nostri monti, ha avuto seme e radici. Per questo appena uno di noi in qualsiasi parte della terra si trovi, quando al finire dell'anno che muore o all'inizio di quello che nasce riceve in dono o compera un calendario con le fasi lunari, la prima cosa che istintivamente fa è quella del cercare e segnare con una crocetta il trentanovesimo giorno dopo Pasqua: la vigilia dell'Ascensione. In quel giorno ci sentiamo tutti uniti con i vivi e con i morti, con la nostra terra che mille anni or sono una tribú scesa dal Nord scelse a dimora, con la nostra storia paesana.

Incominciò nel 1638, ma certamente già da prima qualcosa di simile esisteva perché da tempo immemorabile i miti e i riti si sono innestati sulla tradizione cristiana; o meglio le tradizioni cristiane si sono mescolate alle leggende pagane. Ma fu nel 1638, dopo la grande pestilenza che spopolò contrade e villaggi, che i superstiti stabilirono che ogni anno finché su queste montagne fossero esistiti i discendenti, tutti, alla vigilia dell'Ascensione, dovevano lasciare ogni lavoro e dall'alba al tramonto camminare nel giro del sole tutto intorno alla conca, includendo tutte le abitazioni come in un cerchio d'amore, cantando e orando in gara con la natura che dopo il lungo inverno esplode di colori luminosi e canti d'uccelli e giochi d'amore.

Alla vigilia ragazzi e ragazze vanno sui pascoli a scegliere e cogliere le erbe: scille, ranuncoli, miosotis, violette, genziane che poi applicate alle uova precedentemente bagnate e avvolte con scorze di cipolla e pezze vengono bollite a lungo per lasciare sul guscio i colori del prato.

Ma fra tutte le uova, uno di perfetta forma e misura verrà particolarmente curato dalla ragazza, o da un'amica esperta nell'arte, che su esso dipingerà simboli allegorici che saranno piú eloquenti di tante parole: una casa in una radura, un fiore che ricorderà un incontro, un monogramma, una chiesetta sopra un monte: sarà l'uovo per il ragazzo del cuore o dei sogni o per quello che, secondo la tradizione, il giorno di San Marco avrà voluto donarle lo zufolo di terracotta di baldanzose forme (un ussero a cavallo di un gallo) e smargiassi colori. Ma l'anno scorso con l'augurio nell'antica lingua una donna molto anziana ha voluto porgermi in dono l'uovo con sopra dipinta una casa con il ciliegio sul tetto: voleva in questa maniera esprimermi il suo affetto per un racconto che avevo scritto.

Alla sera della vigilia le campane suonano a festa e tra i voli dei rondoni e il canto del cuculo si scruta la direzione del vento per pronosticare il tempo. Nelle cucine si preparano i sacchi di montagna e le borse con pane, formaggio, soppressa, panettoni casalinghi, vini scelti e, naturalmente, le uova colorate rese lucide con l'olio. I ragazzi dopo la cena andranno a letto senza guardare la televisione perché lunga, faticosa e gioiosa sarà l'indomani la giornata da percorrere.

Ci sveglierà un festoso e lungo scampanio, il piú festoso di ogni altro, e dalle contrade e dalle case sparse, dalle vie del centro confluirà la gente sul sagrato dove, appoggiato al cippo che ricorda il luogo di riposo degli antenati, il gonfalone rosso crociato di bianco aspetterà di essere «alzato» per iniziare davanti a tutti il lungo cammino. Nella mia infanzia lontana era un vecchio piccolo e secco e con un anello d'oro all'orecchio sinistro, a tenerlo alto per tutti i ventisette chilometri del percorso, oggi sarà un maestro di sci che lo farà per voto a uno scampato incidente.

A dare l'avvio sarà un suono cadenzato e particolare di un'unica campana, quella del «transitus», ma non nella maniera dell'addio al defunto. E si inizierà camminando verso il sole che risorge da dietro il monte, davanti i bambini e i ragazzi, poi le ragazze e le donne, infine gli uomini e gli anziani. I canti si rimandano dall'uno all'altro gruppo; ma i cori monodici, su arie forse del XII secolo, se presi ognuno a sé potrebbero sembrare alquanto barbari, nell'insieme creano una melodia che a chi da lontano ascolta dà una singolare emozione; anche perché sembra che allodole, fringuelli e tanti uccelli di prato e di bosco cantino a gara con gli uomini abitanti dei monti.

Nelle fattorie verrà offerto ai camminanti il latte appena munto e lungo la strada che è una traccia ideale sempre ripetuta da secoli attraverso pascoli, prati, margini di boschi, radure, gli anziani ricorderanno ai piú giovani un fatto, lieto o triste, legato al luogo: su questo pascolo una donna ha partorito due gemelli; qui un contadino che non voleva far passare la rogazione su un campo di segale ebbe poi quel campo distrutto dalla grandine mentre tutti gli altri intorno rimasero intatti; un nido di quaglia che si trovò sul percorso non ebbe alcun danno dalle migliaia di piedi che lo sfiorarono. Vengono ricordati cosí luoghi e storie legati a questa tradizione: la peste del 1600 e un arciprete nuovo del luogo che voleva sopprimere questa tradizione e la conseguente rivolta del popolo che anche senza il prete avrebbe compiuto il rito.

Al Lazzaretto, una chiara radura tra boschi di abete e massi ammonitici dove venivano portati a morire gli appestati e dove nel 1916 e nel 1918 vi furono aspre battaglie per contenere l'esercito austro-ungarico, vi sarà la sosta piú lunga. Dopo la messa per ricordare i defunti della «terra dei padri» i gruppi familiari e amichevoli seduti sull'erba fanno allegra merenda con cibi rustici con scambio di vino, fette di soppressa, formaggio. E poi le uova, le uova colorate, da ragazze a ragazzi, da fidanzate a fidanzati, da discepoli a maestri, da giovani ad anziani, da amici, amiche, figliocci e padrini.

Un tempo era anche dovere riconciliarsi tra nemici, e quella pace aveva valore di assoluto rispetto. Forse il dovere della riconciliazione e dell'abbraccio era di rigore nei tempi di violenza e carestia quando l'aiuto reciproco nella comunità era necessario alla sopravvivenza.

La rogazione riprenderà la sua strada secolare segnata solo dalla memoria e niente la farà deviare dal suo percorso e dalle soste del riposo; fino a sera, dopo la prova dell'erta salita delle Rive del Monte Katz. Con il sole del tramonto si ritornerà in paese tra lo scampanio ininterrotto di tutte le campane, con i cori monodici a gara, e le ragazze e i ragazzi dai vivaci colori con i capi adornati di fronde di larici, gli uomini con un rametto di ginepro all'occhiello della giacca e l'unico coro di tutti nell'invocare la benedizione dell'Onnipotente sulla Terra e sul popolo.

Dichiarazioni d'amore

Un secolo può essere breve o anche lungo per la vita di una comunità che era rimasta arroccata tra le montagne per conservare la sua indipendenza; allora solamente impervi sentieri scendevano verso la pianura, e la strada che nel 1959 divenne la *statale 349* ha poco piú di cento anni.

Quella stessa distanza che oggi si percorre in un'ora con l'automezzo, mio nonno la camminava tre giorni; scendeva per una mulattiera lastricata con grosse pietre lisciate dai ferri dei muli e dei cavalli che portavano sui basti i loro carichi fino alla città lontana e azzurrina. A Padova, in via Altinate, avevano i loro magazzini: scendevano manifatture artigianali del legno e della filatura, formaggi e burro, salivano olio, legumi, vino, farine. Per secoli. Il viaggio per l'andare e il tornare durava una settimana, e in un anno ne fece cinquanta per un totale di cinquemila chilometri.

Sostavano sempre nei soliti stalli con alloggio dove si incontravano con altri commercianti, viaggiatori, soldati; si scambiavano le notizie dei commerci, dei regnanti e delle guerre che giravano l'Europa, e quando ritornavano al paese una piccola folla di amici, per sentire le novità di un mondo che sembrava tanto lontano, li aspettava attorno alla bella fontana dove si abbeveravano uomini e cavalli.

Ora i vecchi stalli sono diventati pizzerie o discoteche, le osterie hanno cambiato nome e sono diventate ristoranti alla moda; motociclette davanti alle discoteche, parcheggi per auto davanti ai ristoranti dove i carrettieri si fermavano a bere un gotto e i cavalli a mangiare un po' di biada. E le persone non hanno piú tante storie da raccontarsi perché tutti hanno fretta; e poi, nelle discoteche, mi dicono, non è possibile parlarsi per l'altissimo volume dei suoni; nei ristoranti si mangia in silenzio, sbirciando.

Cento e trenta anni fa costruirono la strada per far scendere dalle montagne anche la vettura postale; a progettarla, questa strada, fu il nostro compaesano piú famoso, un ingegnere che divenne generale garibaldino e quindi deputato al primo Parlamento nazionale; fu lui che lasciò il nome a una maniera di portare il cappello in testa.

Cristiano Lobbia, si chiamava, aveva denunciato in un discorso alla Camera certi scandali finanziari legati alla *Regia dei tabacchi*. Una sera, in una buia strada di Firenze, venne aggredito da sconosciuti che con un colpo di bastone gli ammaccarono anche il cappello che portava rigido e rotondo secondo il costume del tempo. Il giorno dopo andò in Parlamento con il cappello schiacciato e spiegò l'aggressione ai colleghi; è da allora che il cappello alla Lobbia è divenuto uno stile.

Di tutto questo e di altro mi ricordo quando scendo dalle mie montagne per la *Strada del Costo*, da dove ogni tanto si scorge anche il sedime della piccola ferrovia a cremagliera che per cinquanta anni salí e scese senza perdere un colpo tra bufere di neve e di guerre. Portò via emigranti e riportò su soldati. Arrampicandosi per ripide chine, entrava e usciva dalle gallerie sferragliando e sbuffando fuoco e fumo come un mostro preistorico. Per arrivare a Venezia, nel 1907, secondo un vecchio orario che conservo, si impiegavano ore 3,29; adesso, 1986, con la autocorriera si impiegano ore 3,20. Tanto progresso per nove minuti.

Scende lenta la corriera per i dieci tornanti; la pianura, laggiú, è ora tutta occupata da case e da opifici; di notte, poi, sembra una sterminata e unica città e le luci colorate arrivano fin dove può giungere lo sguardo: non piú nuclei di luci tenui attorno a un castello o a una chiesa, ma un'unica estensione luminosa; se ascolti potrai anche sentire un brusio come di api dentro un'arnia. Ma è poi necessaria tutta questa illuminazione?

Un tempo nella valle qui sotto, a Piovene, Piero Jahier, *barba Piero*, si firmava, con Emilio Cecchi e Giuseppe Lombardo Radice facevano un giornaletto: «L'Astico – giornale della trincea»; dal 14 febbraio al 10 novembre 1918 uscirono trentanove numeri e nelle soffitte abbandonate e nelle cantine che una volta erano abitate dai soldati, un raccoglitore di oggetti del passato è riuscito a recuperarne qualche numero.

Laggiú in fondo, a Velo d'Astico, tra il verde dei grandi alberi si può ancora vedere *La Montanina* di Antonio Fogazzaro, che ora è diventata un collegio femminile. Ma sopra la nostra testa, incombente, sta il Monte Cengio, estremo baluardo d'Italia difeso, nel 1916, dai Granatieri di Sardegna e dove trovarono la morte tanti giovani d'Europa.

Ma chi ancora si ricorda di Carlo e Giani Stuparich, del capitano Morozzo della Rocca, del soldato Samoggia? Forse qualche raro lettore del *Giornale di guerra e di prigionia*, libro bellissimo e straziante di Carlo Emilio Gadda, si ricorderà o si immaginerà questi luoghi e quei tempi. Per me sono storie nel paesaggio; come ce ne sono in ogni paesaggio per chi sa leggerle.

Sui dieci tornanti della strada, quasi a ogni curva, ci sono anche altri segni: briciole di mattoni scivolati da un camion, strisce nere per brusche frenate dei motociclisti domenicali, vetri di fanali. Ma anche manifestazioni grafiche (non si possono chiamare graffiti) sulle pareti a pietra vista. Alcune, suppongo, siano ai piú misteriose; come fossero state scritte per una setta, come quell'*aqua* con il simbolo di un'onda che precede e unisce la prima *a* iniziale e che poi continua con l'ultima *a*. Che significa? Una lega di marinai qui per le montagne? O di assetati di qualcosa?

Si legge anche *emoscambio*. Ma cosa vuole dire questo scambio di sangue? Un segno di fraternità indelebile, o un patto di sangue come si leggeva facevano gli indiani d'America? O una società di trasfusori? O di antirazzisti? E che significa quella grande scritta *Dalle stelle alle stalle*? È una scritta natalizia oppure un richiamo a qualche uomo politico caduto in basso? A caratteri cubitali, subito dopo una curva, appare scritto: *W il Tirolo W il Triveneto*. Ma perché solo loro? Su quella parete in pietra vorrei aggiungere: *W tutte* (le Regioni).

Ma è la curva del settimo tornante che mi racconta una storia che va durando da anni. Tempo fa apparve in bella evidenza questa frase: *Eppure ti amo*. Quell'*eppure*, congiunzione avversativa, mi fa molto fantasticare. Eppure o malgrado, perché? Mi hai tradito/a? Sei sposato/a? Ami un altro/a? Sei lontano/a? Eppure ti amo!

Passavano temporali e nevicate, si alternavano le stagioni e quelle tre parole stavano lí, scritte in nero sulle pietre rosse a sfidare il tempo; anzi, sembrava che con il passare dei giorni acquistassero calore e forza. Ogni volta che la corriera affrontava quella curva leggevo a voce alta: «Eppure ti amo»; al punto che una sera l'autista mi chiese: «Non sarà stato lei a scrivere quella frase?»

Ma la sorpresa fu quando una mattina lessi un nome accanto a quella scritta: *Martina*. Era stata lei che aveva lanciato quel grido dal cuore o ne era invece l'oggetto? Ma intanto qualcosa si andava chiarendo. L'ultima volta che scesi in pianura dopo *Martina* lessi il nome di lui: *Danilo*. Era un po' discosto e scritto con caratteri piú piccoli. Un timido che si era finalmente manifestato? Ecco, mi dissi, si sono capiti e incontrati. Ma giovani o anziani che siate andate per le montagne a raccogliere le fragole, fra poco saranno pronte.

Breve vita felice

Andando qualche volta per i boschi a raccogliere la legna per riscaldare il mio inverno, o anche solo a camminare, o a prender su qualche fungo per insaporire il risotto, mi capita sovente di essere lacerato nei nervi dal fracasso delle moto da cross. Possibile che tutti abbiano bisogno di chiasso? In contraddizione al vuoto interiore che oggi sembra tanto esteso, in questa bella mattina di un autunno luminoso e colorato mi è venuto caro il ricordo di una ragazza che conobbi non molto tempo fa.

Venne a casa mia un pomeriggio assieme a suo marito; sulla porta, prima di entrare, si levarono le scarpe da montagna e poi vollero sedersi sul pavimento. Erano venuti da altre montagne per conoscermi e per parlare di un mio racconto che avevano letto, e che lei voleva tradurre in inglese per un editore americano. Desideravano dei ragguagli a proposito di certi nomi e vocaboli scritti in una lingua ormai scomparsa. Il conversare di lei era semplice ma molto appropriato, come la sua figura e il suo vestire: il viso abbronzato ma senza trucco, i capelli tagliati corti, gli occhi luminosi e ridenti e l'aspetto delicato contrastavano con le mani che erano callose e coperte da graffi.

Finito il discorso letterario parlammo di lavori di montagna, di paesi e di gente. Ma io desideravo sapere di loro, che avevano percorso quasi cento chilometri su una vecchia «500» per venirmi a trovare. Si erano sposati da poco e, con altri fratelli di lui, avevano comperato da un comune dei lotti di bosco ceduo *in piedi*; ora lavoravano a tagliare faggi, roverelle e ontani su per le rive ripide della valle; poi avrebbero dovuto allestire le teleferiche per fare scendere in strada la legna ridotta a tronchi di un paio di metri e quindi trovare i clienti che la comprassero. Nei giorni che non potevano lavorare per l'inclemenza del tempo, lassú dentro il loro ricovero, lei aveva tradotto il mio racconto accanto al fuoco che affumicava gli occhi e le pagine dei quaderni.

La mia curiosità cresceva, ma in quel primo incontro mi dovetti accontentare di sapere che lei si era laureata in lingue in una università americana e che lui era perito minerario, e che in attesa di un lavoro adatto ai loro studi avevano scelto di fare i boscaioli.

C'incontrammo altre tre o quattro volte, perfino al Convegno internazionale su letteratura e montagna. Venni cosí a sapere altre cose; ma quello che piú mi colpí fu quando mi raccontò con tanta semplicità del rapporto d'affetto filiale che, bambina, aveva avuto con Ezra Pound, quando a Venezia erano vicini di casa, e che lui, «il miglior fabbro», le volle lasciare per ricordo la sua scrivania.

Le ricordai allora di un giorno che ero andato all'Isola di San Michele e che lí, in quell'angolo aperto verso la Laguna, dove nella terra sopra l'acqua riposano poco distanti l'uno dall'altro Igor Fedorovič Stravinskij, Sergej Diaghilev e Ezra Pound, vidi sopra la tomba di quest'ultimo un mazzo di fiori alpestri: capii che era stata lei, la piccola amica, a portarglieli dalle montagne dove era salita a tagliare i boschi cedui.

Quando erano a lavorare lassú lei aveva tenuto un diario che mi fece avere in fotocopia e che ora è qui sul mio tavolo. «... è l'ottavo giorno di lavoro. Siamo saliti martedí 24 marzo. Avevamo già preparato la casera i giorni prima trasformando una vecchia casera anteguerra con tetto incerto, il pavimento di terra, l'involtura di ragnatele e polvere, un larin scoperto che lasciava il fumo salire dappertutto creando un soffitto opaco e soffocante, in una casa vera e propria: una metamorfosi magica, dove l'intero è piú degli elementi che ne fanno parte... »

Loro lassú lavoravano sodo ma scrive: «Le primule sono ancora in forza, specialmente dove la valle fa ombría e dove crescono i fiori bianchi che non conosco ma che lui chiama erba stiga. Ho visto un ramarro che era di un verde chiarissimo. A valle ci sono i ciliegi come scoppi di colore bianco sui prati...»

Una sera con l'aria fresca e il silenzio del bosco lei ha un incidente: con la roncola si taglia a un polso. «... mi sono presa dentro e mi accorgevo che con la faccia facevo una smorfia piú di paura che altro e che avrei fatto prendere paura. Io vedevo che c'era tanto sangue e allora mi sono tolta la camicia e l'ho legata attorno al polso e ho cercato di calmarmi, e poi non era piú pauroso. Sentivo che non stavo male, che le gambe le avevo buone».

Ma il dispiacere era forte perché si era rallegrata per il fatto che mai si era ferita sul lavoro, però un giorno «... in bisogno di dolcezza ho pensato che sarebbe stato facile farsi male quando intorno non ci si sente forti; e magari nel subconscio è un modo infantile di richiamare tenerezza; e pensavo che questo non è niente da scherzarci, per giochi mentali le conseguenze sono vere e non reversibili...»

In questa fatica continua e dura trova anche il tempo di vangare «un quadratino dietro casa per metter su l'orto. Io volevo e voglio fare qualcosa nelle ore di pomeriggio quando riposiamo, perché il giorno non sia solamente un alternarsi di lavoro e riposo. Ma ora piove. Lassú la mia ronca abbandonata sull'erba prima si lava e poi prende la ruggine».

Con il suo uomo gode la stagione, il lavoro, la natura; laggiú nella valle c'è altra gente, treni, il fiume, automobili che corrono verso le vacanze, ma lei in una pausa osserva non senza umorismo un ciuffo di genziane «di quelle grandi azzurro-cielo di notte araba, che sembrano altoparlanti del sottosuolo pronti a sganciarti qualche nota bassa e rombante».

Ogni tanto scendono a valle per fare rifornimento di viveri e un bagno, e quando ritornano lassú ritrovano la casera accogliente «come tornare ad una fonte perenne di cupa bellezza, un angolo preistorico della memoria». Ammucchiano la legna a grandi cataste vicino al cavo della teleferica che con gran fatica hanno teso sopra il bosco, la corda passa sopra una grande quercia «sembra qualcosa di Sweet family Robinson: questa quercia alta e grossa con le foglie crea un tetto, e sotto come un ponte su una nave, e sotto ancora il panorama».

È sempre innamorata del suo uomo, ritrova nei suoi tratti i segni della madre e del padre, nei fratelli di lui vede scorci della sua infanzia e della sua giovinezza, nei genitori profezie del futuro. «Io vivo sempre conscia della sua giovinezza. Come si fa ad essere cosí conscia invece di viverla e basta? Come se avessi cento anni».

L'anno scorso finirono il lavoro del bosco; in primavera lui andò a lavorare lungo una strada verso l'Austria. Lei era rimasta a casa come la donna di un emigrante, ma ogni sabato con la vecchia «500» andava a trovarlo. Erano i giorni del gran caldo e lei camminava verso la sua felicità. Un abbaglio? Un malessere? La piccola vettura sbandò e si aperse una porta. Venne lanciata fuori e la ritrovarono nel prato tra i papaveri rossi, con le braccia aperte a guardare il cielo.

L'aratro dell'Angelo

Non credo a quel proverbio che dice: «Quando l'inverno è forte i vecchi si augurano la morte», perché loro sempre aspettano la primavera con il sole, e le piogge di maggio che fanno sciogliere l'ultima neve nei piú recessi anfratti del bosco, e di vedere le vitelle sui pascoli finalmente rifioriti e di ascoltare i loro campani, il ronzio delle api, il canto del cuculo. Sono tutti segnali di vita che rinfrancano il cuore: ma in questa primavera, in quest'angolo della terra, manca qualcosa: sono quattro uomini della nostra contrada che segnavano un'epoca e che se ne sono andati lo scorso inverno. Quando si è sciolta la neve le loro tombe apparivano irregolari, e i fiori e le corone di rami d'abete erano come strame.

Bepi dei Püne fu il primo ad andarsene.

Aveva passato da un po' gli ottant'anni e l'autunno scorso l'avevo osservato mentre spaccava e accatastava la legna. «Bisogna lavorare, – mi disse, – se si vuole restare in salute». E poi: «Vedi come sono le opinioni, la Maria dice che la catasta di legna qui dietro casa è scomoda; noi, su in bosco se la troviamo non lontana da un sentiero diciamo che è comoda!»

Bepi non era andato a scuola, ma leggeva poesie, romanzi e il giornale; sapeva anche trattare con qualsiasi persona e con ogni animale; la vita lo aveva fatto coltissimo e saggio e ironico; sapeva apprezzare la compagnia; un bicchiere di vino e una partita a scopone. Quando venne ricoverato in ospedale una sera disse ai suoi: «Andate pure a casa, questa sera mi sento bene». Quella notte si addormentò per sempre.

Dopo di lui se ne andò Toni Zurlo. Aveva sempre fatto il manovale; da ragazzo, quando bisognava ricostruire il paese distrutto dalla Grande Guerra, lavorò nelle cave di sabbia, poi alla manutenzione delle strade, del bosco: era scrupoloso, preciso, metodico e per questo, giustamente, non accettava osservazioni da nessuno.

Quando i suoi fratelli andarono in Australia e in Francia coltivò i pochi prati e pascoli enfiteutici della famiglia, ma senza abbandonare il lavoro a giornata, anzi, d'inverno fece anche alcune stagioni alla slittovia. Quando la crisi in montagna e il boom nelle città portò agli squilibri che sappiamo, Toni prese in affitto i terreni che venivano abbandonati, aumentò i capi in stalla e quando il figlio incominciò a fare il tagliaboschi lui smise di fare il manovale per dedicarsi all'allevamento.

Una notte d'agosto il fulmine gli distrusse gli animali; quella orribile notte, sui pascoli che sapevano di carne bruciata e di fumo, lo sentii piangere sommesso ma la mattina dopo era lí che lavorava a ricostruire la stalla. Trovò chi gli fece credito e rimpiazzò vacche e vitelle.

Nel breve volgere di anni si costruí una casa nuova, comperò la terra che gli altri abbandonavano e insegnò al nipote (che ora è alpino di leva e aspetta la licenza agricola per la fienagione) l'amore al lavoro e alla parsimonia. Ma Toni, oltre ad essere orgoglioso dei suoi animali, aveva la passione del capanno e nelle fredde mattine d'autunno, quando l'odore della neve era nell'aria, sentivo sul fare del giorno il suo vecchio fucile che sparava, come tossendo, a tordi e cesene.

Quando andavo a beccacce, per non disturbarlo, passavo al largo dal capanno, ma mentalmente ci davamo un saluto e alla sera se ci incontravamo mi diceva: «Stamattina ho sentito il campanello del tuo cane Cimbro», e io a lui: «Ho sentito che c'era passo di cesene. Me le fai mangiare una volta?» Ora anche lui se n'è andato e sugli abeti attorno al cimitero quest'anno le cesene si sono fermate e fare il nido, come per tenergli compagnia con il loro canto.

Il terzo a lasciarci fu Angelo Zai. Aveva voluto continuare a lavorare anche dopo che, per un capogiro, era caduto dal fienile, anche dopo che gli si era guastato il cuore. Fu l'ultimo a privarsi del cavallo per i lavori agricoli e di bosco; non poteva immaginarsi sopra un trattore, con un trattore non si può parlare ma con un cavallo sí.

Fu lui che venne due volte ad ararmi il prato per farne un pezzo a orto e un pezzo a campo per patate. Era come ai tempi della mia infanzia: uomo, cavallo e aratro; avanti e indietro rovesciando la cotica come sfogliando un libro per leggere nella terra (la sorpresa fu una monetina di due centesimi del 1864, consumata dall'uso, e chissà quanto cercata dalla donna che cent'anni fa l'aveva smarrita nel campo di lenticchie!) Fu quella l'ultima volta che si vide arare cosí: ma Angelo ogni mattina, e ogni sera da maggio a novembre, lo vedevo dalle mie finestre salire il monte con il suo cavallo per andare a mungere le vacche e trasportare giú il latte.

Qualche sera passavo dai suoi pascoli al ritorno da una passeggiata e un paio di vitelle (poi divenute manze e fattrici) mi riconoscevano da lontano e mi venivano incontro come per salutarmi o per avere una voce. Sapevo i loro nomi e Angelo era contento di questo, e anche aveva stima per chi sapeva apprezzare un animale o riconosceva le razze.

Ai miei nipoti avevo raccontato che nel suo stabbio, lassú sul monte, quando tra il dicembre e il gennaio infuria la tormenta, si ferma la Befana per riposarsi e che Angelo lasciava per lei paglia fresca, pane, formaggio e vino; e anche ora qualche volta mi chiedono: «Nonno, andiamo su nel pascolo dell'Angelo per vedere la casetta della Befana?»

Ciao, Angelo, piú nessuno userà il tuo aratro, e l'erpice, e la carretta, e lo stabbio su nel pascolo. Forse un giorno i miei nipoti indicheranno ai loro nipoti un mucchio di pietre che un tempo erano la «casetta della Befana».

Sul finire dell'inverno ritornò un grande freddo e l'ultimo ad andarsene per il grande viaggio fu Toni Ballot. Lui aveva sempre viaggiato per le strade del mondo e delle montagne per cercare lavoro: da ragazzo a ripulire e poi a ricostituire con i rimboschimenti i boschi distrutti dalla guerra; poi in Francia nelle miniere per poca paga e con tanta fatica.

Ritornò qui per fare il recuperante di materiale bellico e scavò in tutte le trincee dall'Altipiano alle Tofane; in Africa Orientale costruí strade con una impresa; ritornò prima del 1940 ma nel 1941 era con l'impresa in Albania e venne militarizzato. Ritornò appena in tempo per non morire di febbre malarica e di patimenti. Al tempo dei tedeschi andò in montagna con i partigiani.

Era un maestro nella manutenzione delle strade di montagna e cosí nella buona stagione lavorava alle dipendenze del Comune, finché un giorno venne investito da un giovane motociclista troppo disinvolto e fu sul filo della morte; ma non poté piú lavorare e restava seduto davanti alla porta di casa con la compagnia di un bracco tirolese.

Qualche volta mi fermavo a parlare con lui della fame, della miseria e della guerra; a scatti di sincera ribellione alternava sorrisi di grande malinconia: «... valà, valà era tanto brutto, tanta miseria e tanta fame... eppure quanta allegria e quanta fratellanza c'era tra noi».

Indice

Parte prima

Parte seconda

Parte terza

Parte quarta

Stampato nel giugno 1995 per conto della Casa editrice Einaudi
presso Milanostampa s. p. a., Farigliano (Cuneo)

C.L. 13837

Einaudi Tascabili

51 *Albertine scomparsa.*
52 *Il tempo ritrovato* (2 volumi).
53 *I Vangeli* nella traduzione di Niccolò Tommaseo. A cura di Cesare Angelini.
54 *Atti degli Apostoli*. A cura di Cesare Angelini.
55 Holl, *Gesú in cattiva compagnia.*
56 Volponi, *Memoriale* (2ª ed.).
57 Levi (Primo), *La chiave a stella* (4ª ed.).
58 Volponi, *Le mosche del capitale* (2ª ed.).
59 Levi (Primo), *I sommersi e i salvati* (6ª ed.).
60 *I padri fondatori. Da Jahvè a Voltaire.*
61 Poe, *Auguste Dupin investigatore e altre storie.*
62 Soriano, *Triste, solitario y final* (3ª ed.).
63 Dürrenmatt, *Un requiem per il romanzo giallo. La promessa. La panne* (3ª ed.).
64 Biasion, *Sagapò* (3ª ed.).
65 Fenoglio, *Primavera di bellezza* (2ª ed.).
66 Rimanelli, *Tiro al piccione.*
67 Soavi, *Un banco di nebbia.*
68 Conte, *Gli Slavi* (3ª ed.).
69 Schulz, *Le botteghe color cannella.*
70 Serge, *L'Anno primo della rivoluzione russa.*
71 Ripellino, *Praga magica* (6ª ed.).
72 Vasari, *Le vite de' piú eccellenti architetti, pittori, et scultori italiani, da Cimabue insino a' tempi nostri.* A cura di Luciano Bellosi e Aldo Rossi (2 volumi) (2ª ed.).
73 Amado, *Gabriella garofano e cannella* (7ª ed.).
74 Lane, *Storia di Venezia* (3ª ed.).
75 *Tirature '91*. A cura di Vittorio Spinazzola.
76 Tornabuoni, *'91 al cinema.*
77 Ramondino-Müller, *Dadapolis.*
78 De Filippo, *Tre commedie* (2ª ed.).
79 Milano, *Storia degli ebrei in Italia* (4ª ed.).
80 Todorov, *La conquista dell'America* (5ª ed.).
81 Melville, *Billy Budd e altri racconti.* (2ª ed.).
82 Yourcenar, *Care memorie* (6ª ed.).
83 Murasaki, *Storia di Genji. Il principe splendente* (2 volumi) (2ª ed.).
84 Jullian, *Oscar Wilde.*
85 Brontë, *Cime tempestose* (4ª ed.).
86 Andersen, *Fiabe* (3ª ed.).
87 Harris, *Buono da mangiare* (3ª ed.).
88 Mann, *I Buddenbrook* (4ª ed.).
89 Yourcenar, *Archivi del Nord* (6ª ed.).
90 Prescott, *La Conquista del Messico* (2ª ed.).
91 *Beowulf* (3ª ed.).
92 Stajano, *Il sovversivo. L'Italia nichilista.*
93 Vassalli, *La chimera* (8ª ed.).
94 *Le meraviglie del possibile. Antologia della fantascienza* (4ª ed.).
95 Vargas Llosa, *La guerra della fine del mondo* (2ª ed.).
96 Levi (Primo), *Se non ora, quando?* (3ª ed.).
97 Vaillant, *La civiltà azteca* (3ª ed.).
98 Amado, *Jubiabá* (3ª ed.).
99 Boccaccio, *Decameron* (2 volumi) (3ª ed.).
100 Ghirelli, *Storia di Napoli.*
101 Volponi, *La strada per Roma* (3ª ed.).
102 McEwan, *Bambini nel tempo* (4ª ed.).
103 Cooper, *L'ultimo dei Mohicani* (2ª ed.).
104 Petrarca, *Canzoniere* (3ª ed.).
105 Yourcenar, *Quoi? L'Éternité* (3ª ed.).
106 Brecht, *Poesie* (2ª ed.).
107 Ben Jelloun, *Creatura di sabbia* (3ª ed.).
108 Pevsner, Fleming, Honour, *Dizionario di architettura* (3ª ed.).
109 James, *Racconti di fantasmi* (4ª ed.).
110 Grimm, *Fiabe* (4ª ed.).
111 *L'arte della cucina in Italia*. A cura di Emilio Faccioli.
112 Keller, *Enrico il Verde.*
113 Maltese, *Storia dell'arte in Italia 1785-1943.*
114 Ben Jelloun, *Notte fatale* (2ª ed.).
115 Fruttero-Lucentini, *Il quarto libro della fantascienza* (2ª ed.).
116 Ariosto, *Orlando furioso* (2 volumi) (3ª ed.).

117 Boff, *La teologia, la Chiesa, i poveri.*
118 Pirandello, *Sei personaggi in cerca d'autore* (2ª ed.).
119 James, *Ritratto di signora* (3ª ed.).
120 Abulafia, *Federico II* (4ª ed.).
121 Dostoevskij, *Delitto e castigo* (5ª ed.).
122 Masters, *Antologia di Spoon River* (4ª ed.).
123 Verga, *Mastro-don Gesualdo* (2ª ed.).
124 Ostrogorsky, *Storia dell'impero bizantino* (3ª ed.).
125 Beauvoir (de), *I Mandarini* (3ª ed.).
126 Yourcenar, *Come l'acqua che scorre* (4ª ed.).
127 Tasso, *Gerusalemme liberata* (2ª ed.).
128 Dostoevskij, *I fratelli Karamazov* (3ª ed.).
129 Honour, *Neoclassicismo* (2ª ed.).
130 De Felice, *Storia degli ebrei italiani* (3ª ed.).
131 Goldoni, *Memorie* (2ª ed.).
132 Stendhal, *Il rosso e il nero* (3ª ed.).
133 Runciman, *Storia delle crociate* (2 volumi) (2ª ed.).
134 Balzac (de), *La Fille aux yeux d'or* (Serie bilingue).
135 Mann, *Tonio Kröger* (Serie bilingue) (2ª ed.).
136 Joyce, *The Dead* (Serie bilingue) (2ª ed).
137 *Poesia italiana del Novecento.* A cura di Edoardo Sanguineti (2 volumi) (2ª ed.).
138 Ellison, *Uomo invisibile.*
139 Rabelais, *Gargantua e Pantagruele* (2ª ed.).
140 Savigneau, *Marguerite Yourcenar* (2ª ed.).
141 Scholem, *Le grandi correnti della mistica ebraica* (2ª ed.).
142 Wittkower, *Arte e architettura in Italia, 1600-1750* (3ª ed.).
143 Revelli, *La guerra dei poveri* (2ª ed.).
144 Tolstoj, *Anna Karenina* (3ª ed.).
145 *Storie di fantasmi.* A cura di Fruttero e Lucentini (3ª ed.).
146 Foucault, *Sorvegliare e punire* (3ª ed.).
147 Truffaut, *Autoritratto* (2ª ed.).
148 Maupassant (de), *Racconti dell'incubo* (2ª ed.).
149 Dickens, *David Copperfield.*
150 Pirandello, *Il fu Mattia Pascal* (3ª ed.).
151 Isherwood, *Mr Norris se ne va* (2ª ed.).
152 Zevi, *Saper vedere l'architettura* (3ª ed.).
153 Yourcenar, *Pellegrina e straniera* (2ª ed.).
154 Soriano, *Mai piú pene né oblio. Quartieri d'inverno.*
155 Yates, *L'arte della memoria* (2ª ed.).
156 Pasolini, *Petrolio* (2ª ed.).
157 Conrad, *The Shadow-Line* (Serie bilingue) (2ª ed.).
158 Stendhal, *L'Abbesse de Castro* (Serie bilingue) (2ª ed.).
159 Monelli, *Roma 1943* (2ª ed.).
160 Mila, *Breve storia della musica* (3ª ed.).
161 Whitman, *Foglie d'erba* (2ª ed.).
162 Rigoni Stern, *Storia di Tönle. L'anno della vittoria* (2ª ed.).
163 Partner, *I Templari* (4ª ed.).
164 Kawabata, *Bellezza e tristezza* (2ª ed.).
165 Carpi, *Diario di Gusen.*
166 Perodi, *Fiabe fantastiche* (2ª ed.).
167 *La scultura raccontata da Rudolf Wittkower* (2ª ed.).
168 N. Ginzburg, *Cinque romanzi brevi* (2ª ed.).
169 Leopardi, *Canti* (2ª ed.).
170 Fellini, *Fare un film.*
171 Pirandello, *Novelle.*
172 Publio Ovidio Nasone, *Metamorfosi* (2ª ed.).
173 *Il sogno della Camera Rossa. Romanzo cinese del secolo* XVIII (2ª ed.).
174 Dostoevskij, *I demoni* (3ª ed.).
175 Yourcenar, *Il Tempo, grande scultore* (2ª ed.).
176 Vassalli, *Marco e Mattio* (3ª ed.).
177 Barthes, *Miti d'oggi* (2ª ed.).
178 Hoffmann, *Racconti notturni* (2ª ed.).
179 Fenoglio, *Il partigiano Johnny* (3ª ed.).

180 Ishiguro, *Quel che resta del giorno* (7ª ed.).
181 Cervantes, *Don Chisciotte della Mancia* (2ª ed.).
182 O'Connor, *Il cielo è dei violenti*.
183 Gambetta, *La mafia siciliana*.
184 Brecht, *Leben des Galilei* (Serie bilingue) (2ª ed.).
185 Melville, *Bartleby, the Scrivener* (Serie bilingue) (2ª ed.).
186 Vercors, *Le silence de la mer* (Serie bilingue).
187 *«Una frase, un rigo appena». Racconti brevi e brevissimi*.
188 Queneau, *Zazie nel metró* (2ª ed.).
189 Tournier, *Venerdí o il limbo del Pacifico*.
190 Viganò, *L'Agnese va a morire*.
191 Dostoevskij, *L'idiota* (3ª ed.).
192 Shakespeare, *I capolavori*. Vol. I°.
193 Shakespeare, *I capolavori*. Vol. II°.
194 Allen, *Come si diventa nazisti* (2ª ed.).
195 Gramsci, *Vita attraverso le lettere* (2ª ed.).
196 Gogol', *Le anime morte* (2ª ed.).
197 Wright, *Ragazzo negro* (2ª ed.).
198 Maupassant, *Racconti del crimine*.
199 *Lettere di condannati a morte della Resistenza italiana* (3ª ed.).
200 Mila, *Brahms e Wagner*.
201 Renard, *Pel di Carota* (2ª ed.).
202 Beccaria, *Dei delitti e delle pene*.
203 Levi (Primo), *Il sistema periodico* (2ª ed.).
204 Ginzburg (Natalia), *La famiglia Manzoni* (2ª ed.).
205 Paumgartner, *Mozart*.
206 Adorno, *Minima moralia*.
207 Zola, *Germinale*.
208 Kieślowski-Piesiewicz, *Decalogo*.
209 Beauvoir (de), *Memorie d'una ragazza perbene*.
210 Leopardi, *Memorie e pensieri d'amore*.
211 McEwan, *Il giardino di cemento* (3ª ed.).
212 Pavese, *Racconti* (2ª ed.).
213 Sanvitale, *Madre e figlia* (2ª ed.).
214 Jovine, *Le terre del Sacramento* (2ª ed.).
215 Ben Jelloun, *Giorno di silenzio a Tangeri* (2ª ed.).
216 Volponi, *Il pianeta irritabile*.
217 Hayes, *La ragazza della Via Flaminia*.
218 Malamud, *Il commesso*.
219 Defoe, *Fortune e sfortune della famosa Moll Flanders*.
220 Böll, *Foto di gruppo con signora*.
221 Biamonti, *Vento largo*.
222 Lovecraft, *L'orrendo richiamo*.
223 Malerba, *Storiette e Storiette tascabili*.
224 Mainardi, *Lo zoo aperto*.
225 Verne, *Il giro del mondo in ottanta giorni* (2ª ed.).
226 Mastronardi, *Il maestro di Vigevano* (2ª ed.).
227 Vargas Llosa, *La zia Julia e lo scribacchino* (2ª ed.).
228 Rousseau, *Il contratto sociale*.
229 Mark Twain, *Le avventure di Tom Sawyer*.
230 Jung, *Il problema dell'inconscio nella psicologia moderna*.
231 Mancinelli, *Il fantasma di Mozart e altri racconti*.
232 West, *Il giorno della locusta* (2ª ed.).
233 Mark Twain, *Le avventure di Huckleberry Finn*.
234 Lodoli, *I principianti*.
235 Voltaire, *Il secolo di Luigi XIV*.
236 Thompson, *La civiltà Maja*.
237 Tolstoj, *I quattro libri di lettura*.
238 Morante, *Menzogna e sortilegio* (2ª ed.).
239 Wittkower, *Principi architettonici nell'età dell'Umanesimo*.
240 Somerset Maugham, *Storie di spionaggio e di finzioni*.
241 *Fiabe africane*.
242 Pasolini, *Vita attraverso le lettere*.
243 Romano, *La penombra che abbiamo attraversato*.
244 Della Casa, *Galateo*.
245 Byatt, *Possessione. Una storia romantica*.
246 Strassburg, *Tristano*.
247 Ben Jelloun, *A occhi bassi*.
248 Morante, *Lo scialle andaluso*.

249 Pirandello, *Uno, nessuno e centomila*.
250 Soriano, *Un'ombra ben presto sarai* (2ª ed.).
251 McEwan, *Cani neri*.
252 Cerami, *Un borghese piccolo piccolo* (2ª ed.).
253 Morante, *Il mondo salvato dai ragazzini e altri poemi*.
254 Fallada, *Ognuno muore solo*.
255 Beauvoir (de), *L'età forte*.
256 Alighieri, *Rime*.
257 Macchia, *Il mito di Parigi. Saggi e motivi francesi*.
258 De Filippo, *Cantata dei giorni dispari I*.
259 Ben Jelloun, *L'amicizia* (2ª ed.).
260 Burgess, *Un'arancia a orologeria*.
261 Stajano, *Un eroe borghese* (3ª ed.).
262 Spinella, *Memoria della Resistenza* (2ª ed.).
263 Foscolo, *Ultime lettere di Jacopo Ortis*.
264 Schliemann, *La scoperta di Troia*.
265 Dostoevskij, *Umiliati e offesi*.
266 Ishiguro, *Un pallido orizzonte di colline* (2ª ed.).
267 Morante, *La Storia*.
268 Romano (Lalla), *Maria*.
269 Levi Pisetzky, *Il costume e la moda nella società italiana*.
270 Salmon, *Il Sannio e i Sanniti*.
271 Benjamin, *Angelus Novus. Saggi e frammenti*.
272 Bolis, *Il mio granello di sabbia* (2ª ed.).
273 Matthiae, *Ebla. Un impero ritrovato*.
274 Sanvitale, *Il figlio dell'Impero*.
275 Maupassant, *Racconti d'amore*.
276 Céline, *Casse-pipe* (Serie bilingue).
277 *Racconti del sabato sera*.
278 Boiardo, *Orlando innamorato* (2 vol.).
279 Woolf, *A Room of One's Own* (Serie bilingue).
280 Hoffmann, *Il vaso d'oro*.
281 Bobbio, *Il futuro della democrazia*.
282 Mancinelli, *I dodici abati di Challant. Il miracolo di santa Odilia. Gli occhi dell'imperatore*.
283 Soriano, *La resa del leone*.
284 De Filippo, *Cantata dei giorni dispari II*.
285 Gobetti, *La Rivoluzione Liberale*.
286 Wittkower, *Palladio e il palladianesimo*.
287 Sartre, *Il muro*.
288 D'Annunzio, *Versi d'amore*.
289 D'Annunzio, *Alcione*.
290 Caldwell, *La via del tabacco*.
291 Tadini, *La tempesta*.
292 Morante, *L'isola di Arturo*.
293 Pirandello, *L'esclusa*.
294 Voltaire, *Dizionario filosofico*.
295 Fenoglio, *Diciotto racconti*.
296 Hardy, *Tess dei d'Urberville*.
297 N. Ginzburg, *Famiglia*.
298 Stendhal, *La Certosa di Parma*.
299 Yehoshua, *L'amante*.
300 Beauvoir, *La forza delle cose*.
301 Ceram, *Civiltà sepolte*.
302 Loy, *Le strade di polvere*.
303 Piumini, *Lo stralisco*.
304 Rigoni, *Amore di confine*.
305 Rodinson, *Maometto*.
306 Biamonti, *L'angelo di Avrigue*.
307 Antonioni, *Quel bowling sul Tevere*.